Projet OCDE/G20 sur l'érosion de la base d'imposition et le transfert de bénéfices

AF742530

Pilier Un - Montant B

CADRE INCLUSIF SUR LE BEPS

OCDE

DES POLITIQUES MEILLEURES POUR UNE VIE MEILLEURE

Ce document, ainsi que les données et cartes qu'il peut comprendre, sont sans préjudice du statut de tout territoire, de la souveraineté s'exerçant sur ce dernier, du tracé des frontières et limites internationales, et du nom de tout territoire, ville ou région.

Merci de citer cet ouvrage comme suit :
OCDE (2024), *Pilier Un - Montant B : Cadre Inclusif sur le BEPS*, Projet OCDE/G20 sur l'érosion de la base d'imposition et le transfert de bénéfices, Éditions OCDE, Paris, https://doi.org/10.1787/2a736abb-fr.

ISBN 978-92-64-51183-5 (imprimé)
ISBN 978-92-64-61798-8 (PDF)
ISBN 978-92-64-56602-6 (HTML)

Projet OCDE/G20 sur l'érosion de la base d'imposition et le transfert de bénéfices
ISSN 2313-2620 (imprimé)
ISSN 2313-2639 (en ligne)

Version révisée, mai 2025
Les détails des révisions sont disponibles à l'adresse : https://www.oecd.org/fr/publications/support/corrigenda.html

Crédits photo : Couverture © ninog-Fotolia.com.

Les corrigenda des publications de l'OCDE sont disponibles sur : https://www.oecd.org/fr/publications/support/corrigenda.html.
© OCDE 2024

L'utilisation de ce contenu, qu'il soit numérique ou imprimé, est régie par les conditions d'utilisation suivantes :https://www.oecd.org/fr/conditionsdutilisation.

Avant propos

Dans une économie de plus en plus mondialisée, les entreprises multinationales exploitent des chaînes de valeur étendues qui s'étendent sur plusieurs pays. Par conséquent, de longs litiges fiscaux transfrontaliers peuvent survenir, en particulier en ce qui concerne les activités de base de marketing et de distribution. Ces litiges épuisent souvent les ressources financières et administratives de toutes les parties concernées. Ce défi est d'autant plus grand pour les juridictions à faible capacité dont les administrations fiscales sont souvent confrontées à des ressources limitées et à des données indisponibles. Ce rapport fournit des orientations destinées à simplifier l'application des règles de prix de transfert en ce qui concerne les activités de marketing et de distribution de base, à alléger la charge administrative, à réduire les coûts de mise en conformité et à renforcer la certitude fiscale pour les administrations fiscales comme pour les contribuables.

Publié en octobre 2020, le rapport du Cadre inclusif OCDE/G20 sur l'érosion de la base d'imposition et le transfert de bénéfices intitulé *Les défis fiscaux soulevés par la numérisation – Rapport sur le blueprint du Pilier Un* indiquait que le Montant B visait à simplifier et à rationaliser l'application du principe de pleine concurrence aux activités de commercialisation et de distribution de base, en mettant l'accent sur les besoins spécifiques des juridictions à faible capacité. En octobre 2021, le Cadre inclusif a convenu d'une solution à deux piliers pour relever les défis fiscaux découlant de la numérisation de l'économie.

Au cours des deux dernières années, les membres du Cadre inclusif ont travaillé sur un pied d'égalité pour veiller à ce que le Montant B apporte une simplification significative aux activités de commercialisation et de distribution de base, en tenant compte en particulier des défis auxquels les juridictions à faible capacité sont confrontées dans l'application des prix de transfert. Pour concevoir le Montant B, le Cadre inclusif a bénéficié des contributions des entreprises, des fiscalistes, des universitaires et d'autres parties prenantes lors des consultations publiques organisées en décembre 2022 et en juillet 2023. En tant que résultat clé du Pilier Un, le Montant B devrait non seulement alléger les charges de conformité pour les contribuables, mais aussi permettre aux administrations fiscales d'allouer des ressources aux transactions plus risquées et plus complexes, garantissant ainsi une approche plus efficace et plus percutante de leur travail.

Ce rapport a été approuvé et déclassifié par consensus par le Cadre inclusif[1].

Table des matières

Avant propos 3

Sommaire exécutif 6

Introduction 7

Considérations spécifiques applicable aux activités de distribution de référence 11

1 Introduction 16

2 Considérations relatives à l'application de l'approche simplifiée et rationalisée. 17

3 Transactions relevant du champ d'application 19

3.1. Transactions éligibles 19

3.2. Critères de détermination du champ d'application 20

3.3. Commentaires 20

4 Application du principe de la méthode la plus appropriée aux transactions couvertes 28

5 Détermination de la rémunération de pleine concurrence en vertu de l'approche simplifiée et rationalisée 29

5.1. Matrice de fixation des prix 29

5.2. Vérification par recoupement des charges d'exploitation visant a tenir compte des niveaux d'intensité fonctionnelle élevés ou faible 31

5.3. Mécanisme de disponibilité des données pour les juridictions éligibles 32

5.4. Mises à jour périodiques 34

6 Documentation 35

7 Problèmes transitoires 38

8 Sécurité juridique en matière fiscale et élimination de la double imposition 39

Appendice A - Critères de recherche pertinents aux fins de l'analyse comparative 42

Appendice B - Exemples illustratifs 44

TABLEAUX

Tableau 5.1. Matrice de fixation des prix (% de marge d'exploitation) établie à partir du jeu de données mondiales 30
Tableau 5.2. Fourchette de plafonnement des dépenses d'exploitation 32
Tableau 5.3. Coefficient net d'ajustement du risque à appliquer à l'OAS d'une Partie testée dans les juridictions éligibles 33

Sommaire exécutif

En octobre 2021, le Cadre inclusif OCDE/G20 sur l'érosion de la base d'imposition et le transfert de bénéfices (Cadre inclusif) a convenu de simplifier et de rationaliser l'application du principe de pleine concurrence aux activités de commercialisation et de distribution de référence dans le pays, en mettant particulièrement l'accent sur les besoins des juridictions à faible capacité. Conformément à ce mandat, le présent rapport contient des orientations sur les "Considérations spéciales pour les activités de distribution de produits de base", qui sont intégrées dans les *Principes directeurs de l'OCDE applicables en matière de prix de transfert* en tant qu'annexe au chapitre IV. L'approche simplifiée et rationalisée exposée dans ces lignes directrices devrait renforcer la certitude fiscale et alléger la charge de la mise en conformité pour les contribuables comme pour les administrations fiscales, en particulier celles des juridictions à faible capacité disposant de ressources limitées.

Les juridictions peuvent choisir d'appliquer l'approche simplifiée et rationalisée aux transactions admissibles des distributeurs de référence éligibles. Les lignes directrices de ce rapport définissent les caractéristiques des distributeurs du champ d'application, qui ne peuvent pas, par exemple, assumer certains risques économiquement significatifs ou posséder des biens incorporels uniques et de grande valeur. En outre, certaines activités peuvent exclure un distributeur du champ d'application, comme la distribution de matières premières ou de biens numériques. L'approche simplifiée et rationalisée fournit un cadre de tarification dans lequel un processus en trois étapes détermine un retour sur les ventes pour les distributeurs du champ d'application. Enfin, le rapport fournit également des conseils sur la documentation, les questions transitoires et la certitude fiscale.

Introduction

Dans sa déclaration d'octobre 2021, le Cadre inclusif OCDE/G20 sur l'érosion de la base d'imposition et le transfert de bénéfices (Cadre inclusif) a convenu de simplifier et de rationaliser l'application du principe de pleine concurrence aux activités de commercialisation et de distribution de produits de base dans le pays, en mettant particulièrement l'accent sur les besoins des juridictions à faible capacité. En juillet 2023, le Cadre inclusif a convenu de publier un rapport final sur le Montant B, dont le contenu serait incorporé dans les Principes directeurs de l'OCDE applicables en matière de prix de transfert d'ici janvier 2024, en tenant dûment compte des besoins des juridictions à faible capacité et de l'interdépendance du Montant B avec la signature et l'entrée en vigueur de la Convention multilatérale pour la mise en œuvre du Montant A du Pilier Un ("CML"). [2]

Le présent rapport répond au mandat du Cadre inclusif en fournissant une approche simplifiée et rationalisée facultative - anciennement appelée Montant B - que les juridictions peuvent choisir d'appliquer aux distributeurs du champ d'application résidant dans leurs juridictions[3]. Elle reflète le consensus du Cadre inclusif et tient compte des commentaires reçus en réponse aux documents de consultation publique publiés le 8 décembre 2022 et le 17 juillet 2023. Dans le cadre du chantier actuel, le Cadre inclusif travaille sur un critère de cadrage qualitatif facultatif supplémentaire que les juridictions peuvent choisir d'appliquer en tant qu'étape supplémentaire pour identifier les distributeurs exerçant des activités hors base aux fins de l'approche simplifiée et rationalisée. Le Cadre inclusif conclura ces travaux d'ici le 31 mars 2024, et tout ajout sera incorporé dans les Principes directeurs de l'OCDE applicables en matière de prix de transfert. [4]

L'approche simplifiée et rationalisée s'inspire des principes généraux énoncés dans les Principes directeurs de l'OCDE en matière de prix de transfert et est incorporée dans les Principes directeurs de l'OCDE en tant qu'annexe au chapitre IV. Il convient de noter que rien dans les orientations contenues dans le présent rapport ne doit être interprété comme une base d'interprétation de l'application des principes généraux énoncés dans le reste des Principes directeurs de l'OCDE en matière de prix de transfert en ce qui concerne les transactions, et que ces orientations ne doivent pas être interprétées comme une révision de ces principes. Suite à la publication de ce rapport, les juridictions peuvent choisir d'appliquer l'approche simplifiée et rationalisée pour les transactions dans le champ d'application des parties testées dans leurs juridictions pour les exercices fiscaux commençant à partir du 1er janvier 2025.

Les juridictions peuvent choisir d'appliquer l'approche simplifiée et rationalisée aux transactions qualifiantes de leurs parties testées dans le champ de l'enquête selon les options présentées dans la section 2 du présent rapport. Comme pour les autres approches optionnelles des Principes directeurs de l'OCDE applicables en matière de prix de transfert, le résultat déterminé dans le cadre de l'approche simplifiée et rationalisée par une juridiction qui a choisi d'appliquer l'approche simplifiée et rationalisée aux transactions qualifiantes de sa partie testée dans le champ de l'enquête n'est pas contraignant pour la juridiction de la contrepartie où est située l'entreprise associée qui est partie à la transaction contrôlée. Toutefois, sous réserve de leur législation et de leurs pratiques administratives nationales, les membres du Cadre inclusif s'engagent à respecter le résultat obtenu dans le cadre de l'approche simplifiée et rationalisée pour les transactions dans le champ d'application lorsque cette approche est appliquée par une juridiction à faible capacité[5] et à prendre toutes les mesures raisonnables pour éviter la double imposition potentielle pouvant résulter de l'application de l'approche simplifiée et rationalisée par une juridiction à faible capacité lorsqu'il existe une convention fiscale bilatérale en vigueur entre les juridictions concernées[6]. Le Cadre pour l'inclusion travaillera à la mise en œuvre de cet engagement en 2024, notamment en élaborant des accords entre autorités compétentes qui pourraient être utilisés dans le contexte des conventions fiscales bilatérales, en tenant compte du double objectif des conventions fiscales bilatérales qui est d'éviter la double imposition et d'empêcher la double non-imposition. Le Cadre inclusif conviendra des éléments de conception et de la liste des juridictions à faible capacité entrant dans le champ d'application de cet engagement par consensus en 2024. Le Cadre inclusif s'accordera sur la liste des juridictions à faible capacité d'ici le 31 mars 2024.[7]

La section 3 du présent rapport décrit et définit l'ensemble des transactions qualifiées entrant dans le champ d'application de cette approche simplifiée et rationalisée, et par conséquent les caractéristiques des distributeurs entrant dans le champ d'application. Les distributeurs du champ de l'enquête, par exemple, ne doivent pas posséder d'actifs incorporels uniques et précieux, ni assumer certains risques économiquement significatifs. L'approche simplifiée et rationalisée permet aux distributeurs du champ de l'enquête d'effectuer des transactions ne relevant pas de la distribution lorsqu'elles peuvent être évaluées de manière adéquate et faire l'objet d'une tarification fiable sur une base distincte, conformément aux principes généraux des Principes directeurs de l'OCDE applicables en matière de prix de transfert. Elle permet également la réalisation de ventes au détail *de minimis*, tout en excluant du champ d'application la distribution de biens, de matières premières et de services numériques.

La section 4 du présent rapport explique la relation entre cette approche simplifiée et rationalisée et le principe de la méthode la plus appropriée, et la section 5 présente un processus en trois étapes pour déterminer un retour sur ventes pour un distributeur du champ de l'enquête, qui fournit une approximation d'un résultat de pleine concurrence. Ce cadre de tarification comprend une matrice de rendements[8], un mécanisme de recoupement des dépenses d'exploitation[9] et un mécanisme de disponibilité des données[10] [11]. Les sections 6 et 7 traitent de la documentation et des questions transitoires, tandis que la section 8 traite de la certitude fiscale et de l'élimination de la double imposition.

Le Cadre inclusif charge le Groupe de travail 1 d'élaborer un texte à inclure dans les commentaires sur l'article 25 du Modèle de convention fiscale de l'OCDE afin de fournir des indications appropriées sur la formulation convenue du présent rapport, en particulier dans la section 8. Le groupe de travail 1 travaillera à l'élaboration de ces changements en 2024 dans le but de les inclure dans la prochaine mise à jour du Modèle de convention fiscale de l'OCDE.

Le Cadre inclusif recueillera des informations sur l'application pratique de l'approche simplifiée et rationalisée une fois qu'elle aura été mise en œuvre pendant un certain temps. Le cadre permettant de recueillir ces informations sera élaboré en 2024[12]. La conception de ce cadre s'appuiera sur les informations disponibles à partir des exigences de déclaration et des pratiques d'audit actuelles des juridictions et tiendra compte des ressources nécessaires pour entreprendre cet exercice. Il ne devrait donc pas imposer une charge administrative déraisonnable aux administrations fiscales. En outre, il pourrait être envisagé d'élaborer d'autres orientations de mise en œuvre, le cas échéant.

Notes

[1] L'Inde souhaite émettre des réserves sur le caractère incomplet du rapport en raison de la non-inclusion des définitions des "juridictions à faible capacité" et des "juridictions qualifiées", ainsi que d'un critère qualitatif facultatif de délimitation du champ d'application conçu de manière appropriée. En outre, l'Inde souhaite également faire part de ses réserves sur divers aspects de la conception du Montant B, y compris, mais sans s'y liimiter, le mécanisme de recoupement des dépenses d'exploitation et la conception générale de la méthode de tarification. Les réserves détaillées sont incorporées en tant que notes de bas de page dans l'introduction du rapport.

[2] OCDE (2023), Déclaration sur la Solution des deux piliers pour relever les défis fiscaux posés par la numérisation de l'économie - 11 juillet 2023 (https://www.oecd.org/fr/fiscalite/beps/declaration-de-resultat-sur-la-solution-reposant-sur-deux-piliers-pour-resoudre-les-defis-fiscaux-souleves-par-la-numerisation-de-l-economie-juillet-2023.pdf).

[3] Le contenu de ce rapport, y compris tout élément de conception, doit être considéré sans préjudice de tout travail futur sur le Montant B, tel que l'interdépendance du Montant B avec la signature et l'entrée en vigueur de la CML.

[4] L'Inde estime qu'un critère qualitatif bien conçu est essentiel pour garantir que seuls les distributeurs de référence entrent dans le champ d'application du Montant B. L'Inde exprime son incapacité à soutenir davantage le travail sur le Montant B si un tel critère n'est pas incorporé dans les critères de délimitation du champ d'application du présent rapport.

[5] La liste des juridictions à faible capacité considérées à cette fin sera publiée sur le site web de l'OCDE.

[6] Certains membres du cadre inclusif peuvent être en mesure et désireux, en vertu de leur législation et de leurs procédures administratives nationales, d'étendre cet engagement aux cas où il n'existe pas de convention fiscale bilatérale.

[7] L'Inde exprime son incapacité à prendre un engagement politique à l'égard d'un ensemble non défini de juridictions qualifiées de "LCJ" dans un rapport incomplet du Montant B. L'Inde estime que le rapport devrait être complété et que la définition des "LCJ" devrait être approuvée avant que la question de l'engagement politique ne soit abordée.

[8] L'Inde enregistre ses réserves sur les éléments de conception de la méthodologie de tarification, y compris, mais sans s'y limiter, l'exclusion du goodwill des immobilisations incorporelles pour le calcul des actifs d'exploitation nets d'une partie testée, l'écart important de +/-0,5 % par rapport à la médiane qui a été autorisé pour chaque cellule de la matrice de tarification, la conception de la matrice de tarification par l'utilisation d'une base de données commerciale unique qui n'a pas produit un ensemble de données géographiquement représentatif, l'adéquation des critères de filtrage, le facteur utilisé dans la matrice et leur catégorisation.

[9] L'Inde exprime son objection de principe à l'utilisation d'une mesure fondée sur les frais d'exploitation comme critère de recoupement pour plafonner (ou encadrer) le rendement des distributeurs au titre du Montant B. L'Inde considère que la valeur des contributions fonctionnelles d'un distributeur est reflétée dans les ventes qu'il réalise, et non dans ses frais d'exploitation. L'Inde estime également que la vérification croisée pourrait avoir un effet négatif sur les pays à faible revenu, où elle considère que les frais

d'exploitation des distributeurs occupant une position similaire sont systématiquement inférieurs à ceux des pays à revenu élevé, et que les taux plafonds alternatifs pourraient ne pas traiter suffisamment ce problème.

[10] Dans le cadre de l'élaboration du Montant B, le Cadre inclusif a exploré plusieurs mécanismes pour tenir compte des différences géographiques, comme en témoignent les documents de consultation de décembre 2022 et de juillet 2023.

[11] L'Inde exprime son objection à la non-inclusion d'une définition appropriée des "juridictions qualifiées" pour les sections 5.2 et 5.3, et à la proposition d'incorporer cette définition à une date ultérieure.

[12] L'Inde émet des réserves sur la proposition d'élaborer un cadre pour recueillir des informations sur l'application pratique du montant B, étant donné qu'aucun détail supplémentaire n'a été fourni sur ce cadre. L'Inde est également préoccupée par la nature intensive en ressources d'un tel exercice, en particulier du point de vue des juridictions à capacité limitée.

Les sections suivantes du présent rapport sont ajoutées aux Principes de l'OCDE applicables en matière de prix de transfert.

Considérations spécifiques applicable aux activités de distribution de référence

DÉFINITIONS

Les termes et expressions qui suivent ont la signification ci-dessous uniquement aux fins des présentes orientations.

Le terme ***Distributeur*** désigne les distributeurs grossistes, les agents commerciaux et les commissionnaires impliqués dans la vente de biens[1]. Le cas échéant, il peut être fait explicitement référence à un distributeur, un agent commercial ou un commissionnaire grossiste ou détaillant.

L'expression ***Distribution en gros*** inclut la distribution à tout type de client, à l'exception des consommateurs finals. Aux fins des présentes orientations, un distributeur qui s'engage dans une activité de distribution en gros et au détail est réputé mener exclusivement une activité de distribution en gros si la moyenne pondérée sur trois ans de ses recettes nettes provenant de la vente au détail ne dépasse pas 20 % de la moyenne pondérée sur trois ans de ses recettes nettes[2].

---

[1] Le périmètre des présentes orientations est limité à la distribution en gros de biens corporels et n'inclut pas les services (y compris les services numériques).

[2] Ce seuil est calculé sur la base d'une moyenne pondérée sur trois ans, pour chaque année, afin de déterminer si le seuil est franchi. Par exemple, pour une transaction effectuée au cours de l'exercice fiscal x, le seuil moyen pondéré sur trois ans serait calculé en (A) prenant la somme des ventes au détail annuelles pour les années x-3, x-2 et x-1, puis (B) en prenant la somme des ventes nettes annuelles sur la même période, et en divisant ensuite (A) par (B) pour obtenir le bon pourcentage.

L'expression ***Distribution au détail*** désigne la distribution aux consommateurs finals, généralement par le biais de magasins physiques ou en ligne.

L'expression ***Distribution de référence*** désigne les activités exercées par des distributeurs lorsque ceux-ci agissent en qualité de parties testées à des transactions éligibles en vertu du paragraphe 10 des présentes orientations, et lorsque ces distributeurs remplissent les critères du champ d'application définis aux paragraphes 13 et 14 des présentes orientations.

L'expression ***Fonctions de distribution essentielles*** désigne les fonctions de distribution généralement exercées par des distributeurs de référence, en fonction du modèle d'affaires du distributeur, selon qu'il s'agit d'un distributeur de plein exercice, d'un agent commercial ou d'un commissionnaire. Les fonctions de distribution essentielles peuvent inclure l'achat de biens en vue de leur revente, la recherche de nouveaux clients, la gestion des relations avec la clientèle, certains services après-vente, la mise en œuvre d'activités de promotion, de publicité ou de commercialisation, l'entreposage de marchandises, le traitement des commandes ou des prestations de logistique, la facturation et le recouvrement. Les fonctions de distribution essentielles peuvent varier en intensité et en complexité et exclure spécifiquement les activités autres que de distribution susceptible de placer un distributeur en dehors du champ d'application de l'approche simplifiée et rationalisée (voir la section 3.3.4 des présentes orientations).

L'expression ***Activités autres que de distribution*** désigne des activités économiques qui sont distinctes de la distribution en gros, y compris par exemple la fabrication, la recherche et le développement, les achats ou le financement qui ne sont pas accessoires à une transaction éligible. Il convient d'observer qu'aux seules fins de l'application du critère de détermination du champ d'application 14.a, les activités autres que de distribution incluent la distribution au détail au-delà du seuil de *minimis* mentionné dans la définition de la distribution en gros (dans les cas où ce seuil est dépassé, toute la distribution de détail est traitée comme une activité de non-distribution).

L'expression ***Jeu de données mondiales*** désigne l'ensemble d'entreprises créé à partir d'une recherche dans une base de données commerciale contenant les données financières d'entreprises mondiales, sans l'application d'un quelconque filtre géographique, et sur lequel s'appuie en partie l'exercice de rapprochement des résultats de pleine concurrence prévu par l'approche simplifiée et rationalisée visée à la section 5.

L'expression ***Normes comptables applicables*** désigne toute norme comptable autorisée pour l'établissement d'états financiers dans la juridiction où la partie testée exerçant des activités de distribution de référence est résidente, et toute autre norme comptable dont l'utilisation est autorisée par cette juridiction aux fins d'appliquer l'approche simplifiée et rationalisée visée à la section 5.

L'expression ***Résultat net*** désigne le chiffre d'affaires total, exclusion faite des éventuels retours de marchandises, rabais et remises, calculé conformément aux normes comptables applicables.

L'expression ***Résultat avant intérêts et impôts (EBIT)*** désigne le bénéfice comptable avant impôts sur les bénéfices, charges et produits financiers. Les charges et produits financiers incluent les intérêts créditeurs, les intérêts débiteurs et les gains et pertes sur investissements. Les produits/charges financiers comprennent, sans s'y limiter, les produits d'intérêts, les charges d'intérêts et les gains et pertes sur les investissements[3]. D'une manière générale, l'EBIT ne doit pas inclure d'éléments

[3] Voir le paragraphe 2.88 des Principes pour une prise en compte spécifique des risques de change et des coûts associés à ces risques de change et la manière dont ils pourraient être traités lors du calcul du chiffre d'affaires net, du coût des marchandises vendues et de tout autre poste et ratio applicable dans le cadre de l'approche simplifiée et

exceptionnels non liés à des opérations commerciales récurrentes, qui doivent être quantifiés conformément aux normes comptables applicables.

L'expression ***Marge d'exploitation*** désigne le ratio entre l'EBIT et le résultat net, exprimé en pourcentage, et calculé conformément aux normes comptables applicables.

L'expression ***Actifs d'exploitation nets*** désigne les immobilisations corporelles et incorporelles, plus le fonds de roulement calculés sur une base moyenne[4] pour un exercice donné, conformément aux normes comptables applicables. Les immobilisations corporelles comprennent les propriétés, les usines et les équipements, nets de l'amortissement cumulé, ainsi que les terrains et les contrats de location-acquisition nets. Les immobilisations incorporelles comprennent toutes les immobilisations incorporelles, nettes de l'amortissement cumulé, à l'exclusion du goodwill. Le fonds de roulement est la somme des stocks et des débiteurs moins les créanciers[5].

L'expression ***Dépenses d'exploitation*** désigne les coûts totaux à l'exclusion du coût des marchandises vendues, des coûts répercutés sur la base d'une délimitation exacte de la transaction[6] et des coûts liés aux financements, aux activités de placement ou aux impôts sur les bénéfices, calculés conformément aux normes comptables applicables. En outre, les dépenses d'exploitation n'incluent pas les éléments exceptionnels qui ne sont pas liés aux activités commerciales récurrentes, mesurés conformément aux normes comptables applicables.

L'expression ***Intensité des actifs d'exploitation nets*** désigne le ratio des actifs d'exploitation nets rapportés au résultat net, exprimé en pourcentage[7].

L'expression ***Intensité des charges d'exploitation*** désigne le ratio des charges d'exploitation rapportées au résultat net, exprimé en pourcentage[8].

---

rationalisée. Si l'exposition est économiquement significative, il est possible que, dans certaines circonstances, une partie assumant de tels risques ne remplisse pas les critères de délimitation décrits à la section 3.2.

[4] L'actif net d'exploitation calculé sur une base moyenne signifie que l'on prend la somme de l'actif net d'exploitation d'un exercice donné (c'est-à-dire le solde de clôture) et de l'actif net d'exploitation de l'exercice précédent (c'est-à-dire le solde d'ouverture) et que l'on divise cette somme par deux.

[5] Les créanciers comprennent les soldes créditeurs de tiers et les soldes créditeurs intersociétés. Afin de déterminer les créanciers de la partie testée et d'atténuer le risque de distorsion des conditions de crédit, un délai de carence de 90 jours s'applique aux comptes créditeurs. Voir la note de bas de page 29 de la section 5 pour d'autres conseils pratiques.

[6] La pertinence et le traitement des coûts répercutés sont examinés plus en détail dans la note de bas de page 24 de la section 3 des présentes orientations.

[7] Ce ratio est calculé sur la base d'une moyenne pondérée sur trois ans, pour chaque exercice, afin de déterminer la classification de l'intensité du facteur. Par exemple, pour une partie testée au cours de l'exercice x, le ratio moyen pondéré sur trois ans serait obtenu en (A) prenant la somme des actifs d'exploitation nets annuels pour les années x-3, x-2 et x-1, puis (B) en prenant la somme des recettes nettes totales annuelles sur la même période, et en divisant ensuite (A) par (B) pour obtenir le pourcentage approprié. Lorsque l'opération admissible est en place depuis deux ans, il convient d'utiliser un ratio moyen pondéré sur deux ans, et lorsque l'opération admissible n'est en place que depuis un an, le ratio doit être calculé sur la base des résultats financiers de l'année en question.

[8] Ce ratio est calculé sur la base d'une moyenne pondérée sur trois ans, pour chaque exercice, afin de déterminer si le seuil de délimitation du champ d'application est dépassé et de déterminer la classification de l'intensité du facteur. Par exemple, pour une partie testée au cours de l'exercice x, le seuil de la moyenne pondérée sur trois ans serait obtenu en (A) prenant la somme des dépenses d'exploitation annuelles pour les années x-3, x-2 et x-1, puis (B) en

L'expression ***Catégorie sectorielle*** désigne le classement des secteurs et branches d'activité spécifiques dans lesquels les distributeurs couverts exercent leurs activités en trois catégories prédéfinies, basées sur le lien observé entre tel ou tel secteur ou produit et la rentabilité attribuée à la distribution de référence.

> *Groupe 1* - denrées périssables, épicerie, articles ménagers consommables, matériaux et fournitures de construction, fournitures de plomberie et métal.
>
> *Groupe 2* - matériel et composants informatiques, composants et consommables électriques, aliments pour animaux, fournitures agricoles, alcool et tabac, aliments pour animaux de compagnie, vêtements, chaussures et autres vêtements, plastiques et produits chimiques, lubrifiants, colorants, produits pharmaceutiques, cosmétiques, produits de santé et de bien-être, appareils ménagers, électronique grand public, meubles, fournitures pour la maison et le bureau, imprimés, papier et emballages, bijoux, textiles, peaux et fourrures, véhicules domestiques neufs et d'occasion, pièces détachées et fournitures pour véhicules, produits mixtes et produits et composants non répertoriés dans le groupe 1 ou 3.
>
> *Groupe 3* - machines médicales, machines industrielles, y compris les véhicules industriels et agricoles, outils industriels, composants industriels, fournitures diverses.

L'expression ***Classification de l'intensité factorielle*** désigne la segmentation de différents niveaux d'intensité des actifs d'exploitation nets et des charges d'exploitation en cinq catégories prédéfinies en fonction du lien observé entre l'intensité des actifs et des charges et la rentabilité attribuée à la distribution de référence. Les catégories d'intensité factorielle sont définies dans la matrice de fixation des prix illustrée dans le tableau 5.1 de la section 5.

L'expression ***Juridictions éligibles au sens de la section 5.3*** désigne les juridictions où le mécanisme de disponibilité des données mentionné à la section 5.3 s'applique aux fins de déterminer les déclarations ajustées pour les parties testées situées dans les juridictions susmentionnées. Les critères de qualification seront incorporés dans les présentes orientations lors d'une mise à jour ultérieure. La liste des juridictions qualifiées aux fins de la section 5.3 sera fixée prospectivement sur la base de ces critères de qualification, publiée et mise à jour tous les cinq ans sur le site web de l'OCDE.

L'expression ***Notation de crédit souveraine*** se réfère aux notations de crédit souverain à long terme accessibles au public, périodiquement attribuées ou réaffirmées pour une juridiction par une agence de notation de crédit indépendante reconnue et pertinente pour les orientations de la section 5.3.

L'expression ***Agence(s) de notation indépendante(s) reconnue(s)*** fait référence aux agences de notation indépendantes suivantes : Moody's Investors Service, S&P Global Ratings et Fitch Ratings, et se rapporte aux orientations de la section 5.3.

L'expression ***Rendement équivalent sur charges d'exploitation*** désigne la marge d'exploitation d'une partie testée, calculée conformément à la section 5.1, et convertie en un ratio correspondant de l'EBIT rapporté aux charges d'exploitation aux fins de l'application du contrôle croisé des dépenses d'exploitation à la section 5.2.

---

prenant la somme des recettes nettes totales annuelles sur la même période, et en divisant ensuite (A) par (B) pour obtenir le pourcentage approprié. Lorsque l'opération admissible est en place depuis deux ans, il convient d'utiliser un ratio moyen pondéré sur deux ans, et lorsque l'opération admissible n'est en place que depuis un an, le ratio doit être calculé sur la base des résultats financiers de l'année en question.

L'expression ***Plafond des charges d'exploitation*** désigne le rendement équivalent maximum sur les dépenses de fonctionnement, spécifiées dans le tableau 5.2, que l'approche simplifiée et rationalisée produira pour une partie testée donnée, conformément à la section 5.2.

L'expression ***Plafond des charges d'exploitation*** désigne le rendement équivalent minimum sur les dépenses de fonctionnement, spécifiées dans le tableau 5.2, que l'approche simplifiée et rationalisée produira pour une partie testée donnée, conformément à la section 5.2.

L'expression ***Juridictions éligibles au sens de la section 5.2*** désigne les juridictions où d'autres taux plafonds s'appliquent pour déterminer la fourchette de plafonnement des frais de fonctionnement pour les parties testées situées dans les juridictions susmentionnées. Les critères de qualification seront intégrés dans les présentes orientations lors d'une mise à jour ultérieure. La liste des juridictions qualifiées aux fins de la section 5.2 sera fixée de manière prospective sur la base de ces critères de qualification, publiée et mise à jour tous les cinq ans sur le site web de l'OCDE.

Les références au "***reste des présents principes directeurs***" ou aux "***Principes***" renvoient à l'intégralité des principes de l'OCDE applicables en matière de prix de transfert à l'intention des entreprises multinationales et des administrations fiscales, à l'exception des orientations contenues dans la présente annexe.

Les références à "***ces orientations***" renvoient à l'intégralité de la présente annexe, et non au reste des Principes directeurs.

1 Introduction

1. La distribution est une fonction essentielle aux EMN pour leur permettre de concrétiser efficacement la valeur créée à travers les différentes étapes de leurs activités. De manière générale, le concept de distribution est vaste et englobe notamment l'exécution des fonctions de distribution essentielles.

2. Les différends en matière de prix de transfert concernant les accords de commercialisation et de distribution de référence peuvent être source de difficultés pour les administrations fiscales, notamment des juridictions à faibles capacités, et entraîner une lourde charge de conformité pour les contribuables. Ces différends ont parfois trait à la délimitation exacte de l'accord. Les différends sont également courants en matière de détermination des prix dans les accords de commercialisation et de distribution, et portent sur des questions telles que la sélection de la méthode de calcul des prix de transfert, la pertinence de l'analyse comparative (notamment la recherche et la sélection de comparables non nationaux) ou, le cas échéant, la manière de procéder à des ajustements de comparabilité appropriés.

3. L'approche simplifiée et rationalisée exposée dans les présentes orientations s'appuie sur les chapitres I à III et s'aligne sur les objectifs de la section E du chapitre IV des présents Principes. Il s'agit d'une approche simplifiée et rationalisée de l'application du principe de pleine concurrence aux activités de commercialisation et de distribution de produits de base relevant du champ d'application. Elle vise à faciliter le respect des règles, à prévenir les différends en matière de prix de transfert et à contribuer à résoudre plus efficacement ceux qui surviennent.

4. L'approche simplifiée et rationalisée doit être considérée comme une application des principes généraux figurant ailleurs dans les Principes, spécifiquement à la tarification des accords de distribution dans le champ de l'enquête. Les orientations figurant dans ce [chapitre] ne constituent pas une révision de ces principes généraux, et ne doivent pas servir à interpréter l'application des autres règles énoncées dans ces Principes aux transactions non couvertes.

2 Considérations relatives à l'application de l'approche simplifiée et rationalisée.

5. Les juridictions ont des antécédents divers et peuvent rencontrer des difficultés différentes dans l'application du principe de pleine concurrence. Par exemple, dans les situations où les juridictions sont confrontées à des contraintes de capacité ou à des difficultés liées à l'identification de sources d'information fiables, elles peuvent choisir d'appliquer l'approche simplifiée et rationalisée pour les distributeurs résidant dans leur juridiction.

6. La conception de l'approche simplifiée et rationalisée simplifie la tarification des transactions dans le champ d'application en fournissant une solution qui se rapproche d'un résultat de pleine concurrence dans la juridiction de la partie testée. Dans les juridictions qui choisissent d'appliquer l'approche simplifiée et rationalisée,[9] cette approche sera considérée comme fournissant un résultat de pleine concurrence. Dans les juridictions qui ne choisissent pas d'appliquer l'approche simplifiée et rationalisée, cette approche ne sera pas considérée comme fournissant un résultat de pleine concurrence (y compris aux fins de l'article 9 du MCF et, par extension, de l'article 25). Le résultat déterminé dans le cadre de l'approche simplifiée et rationalisée par une juridiction n'est pas contraignant pour la juridiction de la contrepartie[10].

7. Une juridiction qui choisit d'appliquer l'approche simplifiée et rationalisée peut choisir de l'appliquer en utilisant l'une des deux options, qui précisent quelle(s) partie(s) peut (peuvent) faire valoir l'approche simplifiée et rationalisée[11]. Dans le cadre de la première option, une juridiction peut autoriser les parties testées résidant sur son territoire à choisir d'appliquer l'approche simplifiée et rationalisée. Dans le cadre de la seconde option, une juridiction peut exiger l'utilisation de l'approche simplifiée et rationalisée de manière prescriptive par son administration fiscale et les parties testées résidant dans la juridiction et, par conséquent, l'administration fiscale peut spécifier que les contribuables doivent appliquer l'approche simplifiée et rationalisée lorsque les critères de champ d'application sont remplis et que l'administration fiscale serait tenue de l'appliquer dans des circonstances similaires.

8. Indépendamment du choix d'une juridiction entre les deux options, les autorités compétentes et les contribuables doivent examiner les implications pertinentes pour l'allègement de la double imposition, en tenant compte des orientations données aux paragraphes 4.117 et 4.131 des Principes, ainsi qu'à la section 8 des présentes orientations. Les contribuables ne doivent pas invoquer l'approche simplifiée et rationalisée pour justifier qu'un résultat doit être traité comme un résultat de pleine concurrence lorsqu'ils

---

[9] La liste des juridictions qui appliquent l'approche simplifiée et rationalisée pour les parties testées sur leur territoire sera publiée sur le site Internet de l'OCDE.

[10] Veuillez noter que le résultat de l'application de l'approche simplifiée et rationalisée peut, dans certains cas, être cohérent avec le résultat de l'application du reste des Principes.

[11] Voir le chapitre IV des Principes, en particulier les paragraphes 4.102 et 4.108.

remplissent leurs déclarations fiscales dans des juridictions qui n'appliquent pas l'approche simplifiée et rationalisée[12]. Ce serait le cas pour les dépôts effectués dans la juridiction de la partie testée lorsque celle-ci n'a pas adopté l'approche simplifiée et rationalisée. Ce serait également le cas pour les dépôts effectués dans la juridiction de la contrepartie lorsque celle-ci n'a pas adopté l'approche simplifiée et rationalisée, même si la partie testée se trouve dans une juridiction qui l'a adoptée.

9. Le résultat de pleine concurrence pour les transactions hors du champ d'application doit être évalué strictement selon les principes énoncés dans le reste des Principes. En outre, le fait qu'une activité ne remplisse pas les conditions requises pour bénéficier de l'approche simplifiée et rationalisée ne doit pas être interprété comme signifiant que cette activité génère des rendements inférieurs ou supérieurs à ceux autorisés dans le cadre de l'approche simplifiée et rationalisée ou que les rendements appliqués aux contribuables du champ de l'enquête représentent un "plancher" ou un "plafond" pour les rendements des activités de distribution en général.

[12] Voir la section 6 et la section 8 (en particulier le paragraphe 74) de ces orientations. Si un contribuable dépose sa déclaration fiscale selon l'approche simplifiée et rationalisée dans une juridiction qui n'a pas choisi de l'appliquer, il se peut que les exigences locales en matière de déclaration, y compris la documentation, ne soient pas satisfaites en vertu des règles nationales de cette juridiction.

3 Transactions relevant du champ d'application

3.1. Transactions éligibles

10. Les transactions contrôlées suivantes sont des transactions éligibles au titre de l'approche simplifiée et rationalisée :

a. transactions de commercialisation et de distribution (achat/vente) dans lesquelles le distributeur achète des biens auprès d'une ou de plusieurs entreprises associées en vue de les distribuer en gros à des parties non liées ; et

b. transactions d'agents commerciaux et de commissionnaires dans lesquelles l'agent commercial ou le commissionnaire participe à la distribution en gros des biens d'une ou de plusieurs entreprises associées à des parties non liées[13].

11. Il convient, avant d'appliquer les critères de détermination du champ d'application[14], de délimiter avec précision la transaction éligible conformément au chapitre I des Principes, en tenant compte des cinq facteurs de comparabilité et des caractéristiques économiquement pertinentes de la transaction. Une transaction éligible, délimitée avec précision, sera soumise à l'approche simplifiée et rationalisée lorsqu'elle remplit les critères de détermination du champ d'application prévus à la section 11. Par conséquent, les informations obtenues dans le cadre de la délimitation précise de la transaction doivent être utilisées pour déterminer si chacun des critères est rempli afin d'établir si une transaction sera soumise à l'approche simplifiée et rationalisée.

12. Le fait d'adopter des qualificatifs particuliers ne permet pas de savoir si une transaction éligible relève ou non du champ d'application ; il faut pour ce faire s'intéresser avant tout aux fonctions exercées, aux actifs utilisés et aux risques assumés par les parties à la transaction éligible. Bien que ces orientations n'aient pas pour objet de dresser une liste exhaustive des activités de commercialisation et de distribution de référence, elles reconnaissent que les distributeurs devraient exercer un ensemble de fonctions de distribution essentielles en lien avec les transactions couvertes.

---

[13] L'entreprise associée qui engage l'agent commercial ou le commissionnaire, et qui est la contrepartie de l'agent commercial ou du commissionnaire dans la transaction potentiellement admissible, doit vendre les biens directement à des parties non liées, c'est-à-dire sans que ni elle ni l'agent commercial ou le commissionnaire n'engagent d'autres parties liées en tant qu'intermédiaires entre elle et les clients non liés.

[14] Voir également le paragraphe 1.34 des Principes, qui devrait être pris en compte lors de l'application de l'approche simplifiée et rationalisée.

3.2. Critères de détermination du champ d'application

13. Pour qu'une transaction éligible entre dans le champ d'application de l'approche simplifiée et rationalisée :

a. La transaction éligible doit présenter des caractéristiques économiquement pertinentes indiquant que son prix peut être établi de manière fiable au moyen d'une méthode unilatérale de fixation des prix de transfert, lorsque le distributeur, l'agent commercial ou le commissionnaire est la partie testée[15].

b. La partie testée dans l'opération admissible ne doit pas encourager de dépenses d'exploitation annuelles inférieures à 3 % ou supérieures à une limite supérieure comprise entre 20 % et 30 % des recettes nettes annuelles de la partie testée[16] [17].

14. Pour les transactions qualifiées qui n'entrent pas dans le champ d'application de l'approche simplifiée et rationalisée visée au paragraphe 13, une transaction qualifiée sera néanmoins hors du champ d'application si :

a. L'opération admissible concerne la distribution de biens non corporels, de services ou la commercialisation, le négoce ou la distribution de matières premières ; ou

b. La partie testée exerce des activités de non-distribution en plus de la transaction admissible, à moins que la transaction admissible puisse être évaluée de manière adéquate sur une base distincte et que son prix puisse être déterminé de manière fiable séparément des activités de non-distribution[18] [19].

3.3. Commentaires

15. Cette sous-section vise à préciser et à illustrer les modalités d'application des critères de détermination du champ d'application aux transactions éligibles.

[15] Voir 2.4, 2.65, 2.66, 2.126, 3.18 et 3.19. En outre, voir le chapitre II, partie III, section B, pour une discussion concernant l'ensemble des circonstances économiquement pertinentes dans lesquelles la méthode de la marge nette transactionnelle est la plus appropriée. La section 4 des présentes orientations fournit des informations supplémentaires sur cette question dans le contexte de la détermination des rendements de pleine concurrence dans le cadre de l'approche simplifiée et rationalisée.

[16] Lorsque le commissionnaire ou l'agent commercial n'est pas l'entité qui effectue la vente, les ventes de la contrepartie du commissionnaire ou de l'agent commercial (c'est-à-dire l'entité qui effectue la vente au client tiers) seront utilisées pour calculer le ratio des frais d'exploitation sur les ventes ; toutefois, les frais d'exploitation nets du commissionnaire ou de l'agent commercial sont toujours le seul élément inclus dans le numérateur des ratios.

[17] Les juridictions qui choisissent de mettre en œuvre l'approche simplifiée et rationalisée préciseront la limite supérieure à appliquer à ce critère de champ d'application lors de sa mise en œuvre initiale, qui ne sera pas inférieure à 20 % ni supérieure à 30 %.

[18] Voir les paragraphes 3.9 - 3.12 des Principes,

[19] Lorsqu'une partie testée dans une opération admissible exerce des activités de non-distribution telles que le critère de délimitation 14.b doit être évalué, le calcul de tout ratio requis pour déterminer si l'opération admissible est dans le champ d'application, ou de tout autre ratio nécessaire dans le cadre de l'évaluation de l'opération admissible selon les Principes, doit être effectué en tenant compte uniquement des produits, des charges ou des actifs relatifs à l'opération admissible.

3.3.1. Critère de champ d'application 13.a - La transaction éligible doit présenter des caractéristiques économiquement pertinentes qui permettent d'en fixer le prix de manière fiable à l'aide d'une méthode unilatérale, le distributeur étant la partie testée.

16. Critère de champ d'application 13.a limite l'application de l'approche simplifiée et rationalisée à l'ensemble des transactions dont le prix peut être déterminé de manière fiable à l'aide d'une méthode unilatérale, le distributeur étant la partie testée.

17. Pour déterminer si une transaction admissible peut entrer dans le champ d'application, il est particulièrement important d'établir qu'une méthode de prix de transfert bilatérale ne doit pas s'appliquer. Par conséquent, le premier critère de délimitation du champ d'application établit que tout distributeur entrant dans le champ d'application doit présenter des caractéristiques économiquement pertinentes telles que la transaction admissible puisse être tarifée de manière fiable à l'aide d'une méthode unilatérale. La section 4 prévoit que la méthode transactionnelle de la marge nette est choisie comme la méthode la plus appropriée dans le cadre de l'approche simplifiée et rationalisée, à l'exception des cas où la méthode CUP utilisant des comparables internes peut être appliquée de manière fiable et où les informations nécessaires sont facilement accessibles aux administrations fiscales et aux contribuables.

18. Le chapitre II, partie III, section C.2.2 décrit trois caractéristiques économiquement pertinentes essentielles des transactions éligibles qui indiquent qu'une méthode unilatérale de fixation des prix de transfert peut ne pas être appropriée pour établir les conditions de pleine concurrence pour une transaction éligible. Elles doivent être appliqués pour déterminer si une transaction éligible se prête bien à l'approche simplifiée et rationalisée. La première correspond au cas où les contributions de chaque partie à la transaction éligible sont « uniques et de valeur », y compris les contributions d'actifs incorporels uniques et de valeur (C.2.2.1)[20]. La deuxième correspond au cas où le distributeur et ses contreparties exercent des fonctions, utilisent des actifs et assument des risques, dans le cadre de la transaction éligible, à un degré d'intégration tel que leurs contributions ne peuvent pas être évaluées de manière fiable isolément les unes des autres (C.2.2.2). La troisième correspond au cas où le distributeur et ses contreparties partagent la prise en charge d'un ou de plusieurs risques économiquement significatifs liés à la transaction, ou lorsque les différents risques significatifs sur le plan économique liés à la transaction sont assumés séparément par les parties, mais que ces risques sont si étroitement liés et/ou corrélés qu'il est impossible d'isoler de manière fiable les effets pour chaque partie d'une éventuelle matérialisation de ces risques (C.2.2.3).

19. Les exemples 1 à 4 de l'annexe II du chapitre II des Principes fournissent des informations utiles sur l'application pratique de ce critère de délimitation du champ d'application.

20. Selon la délimitation précise de la transaction admissible, les contributions uniques et de valeur apportées par un distributeur peuvent inclure, sans s'y limiter, les contributions au développement, à l'amélioration, à l'entretien, à la protection et à l'exploitation de tout bien incorporel qui est lui-même unique et précieux dans le contexte de la transaction admissible. D'autres orientations sur la propriété, les fonctions, les actifs et les risques liés aux biens incorporels figurent au chapitre VI, sections B.1 et B.2 des Principes, ainsi que le cadre du paragraphe 6.34 à appliquer pour l'analyse des transactions portant sur des biens incorporels. En outre, certains exemples de contributions qui peuvent être importantes figurent au paragraphe 6.56 des Principes[21]. Les contributions uniques et de valeur de cette nature peuvent

---

[20] Voir le glossaire et les paragraphes 2.126, 2.130 et 2.131-2.132. Ce critère s'applique spécifiquement à toute situation dans laquelle les contributions du distributeur à l'opération admissible sont uniques et précieuses.

[21] Les exemples donnés au point 6.56 sont, aux fins de l'approche simplifiée et rationalisée, de nature illustrative, et toute conclusion selon laquelle de telles contributions sont uniques et de valeurs doit être fondée sur la délimitation

également être utilisées pour l'analyse d'actifs incorporels qu'un distributeur a lui-même créés ou qu'il a acquis.

21. Les paragraphes 1.169-1.171 des Principes constituent une autre source d'orientations qui peut être utile pour identifier les contributions uniques et de valeur dans le cadre de la délimitation précise de la transaction admissible. Ces lignes directrices indiquent que, dans certaines circonstances, une licence réglementaire nécessaire pour accéder à un marché, par exemple, peut être un élément incorporel dont la valeur dans le contexte de la transaction concernée dépendra de plusieurs facteurs, notamment le fait que la licence soit facilement disponible et qu'elle ait pour effet de restreindre le nombre de concurrents sur le marché. Pour évaluer l'impact des contributions faites pour obtenir la licence, il est important de prendre en considération les contributions du distributeur et des autres membres du groupe pour fournir les capacités nécessaires à l'obtention de la licence. Le chapitre VI, section B, y compris le paragraphe 6.34, doit être pris en considération et appliqué pour évaluer ces fonctions et déterminer si elles constituent une contribution unique et de valeur.

3.3.2. Critère de champ d'application 13.b - filtre quantitatif

22. Après l'application du critère de délimitation du champ d'application 13.a, le critère de cadrage 13.b permet d'exclure les transactions admissibles du champ d'application de l'approche simplifiée et rationalisée à l'aide de filtres quantitatifs.

23. Ces filtres quantitatifs fournissent un mécanisme simplifié pour évaluer si une partie testée est dans le champ d'application, en conjonction avec les autres critères de délimitation du champ d'application. [22]. La borne supérieure, par exemple, sert d'indicateur pour exclure du champ d'application les transactions qualifiées pour lesquelles le rapport entre les dépenses d'exploitation et le chiffre d'affaires pourrait indiquer que des fonctions supplémentaires sont exercées, ce qui suggère que la méthode de fixation des prix de la section 5 de ce guide aurait une fiabilité réduite dans la pratique. Par conséquent, le filtre quantitatif est appliqué de manière à ce que la méthode de fixation des prix de la section 5 du présent guide puisse être appliquée de manière fiable pour établir des prix de pleine concurrence pour les transactions qualifiées.

---

précise de l'opération admissible. Sur la base des exemples fournis au point 6.56, les contributions qui peuvent être uniques et de valeurs dans le contexte des opérations admissibles peuvent inclure la conception et le contrôle des programmes de commercialisation, la direction et l'établissement de priorités pour les entreprises créatives liées à la commercialisation des produits distribués, le contrôle des décisions stratégiques concernant les programmes de développement des biens incorporels de commercialisation, ou la gestion et le contrôle des budgets associés. D'autres contributions pertinentes peuvent également inclure des décisions importantes concernant la défense et la protection des actifs incorporels de marketing, tels que les marques ou les noms commerciaux, et des décisions importantes concernant le contrôle permanent de la qualité des fonctions exécutées par des entreprises indépendantes ou associées qui peuvent avoir un effet important sur la valeur de l'actif incorporel de marketing considéré.

[22] Les filtres quantitatifs de délimitation sont utilisés dans le cadre de l'approche simplifiée et rationalisée en tant que mesure de simplification et ne fournissent aucune indication définitive sur les fonctions exercées ou sur la caractérisation des distributeurs qui sortent du champ d'application ou en général. Lorsqu'un distributeur n'entre pas dans le champ d'application, cela ne doit pas être considéré comme impliquant un prix de pleine concurrence pour la transaction contrôlée, quels que soient les critères de délimitation utilisés. Pour éviter toute ambiguïté, la détermination des prix de pleine concurrence dans de telles circonstances doit suivre les principes énoncés dans le reste des Principes Les filtres quantitatifs appliqués pour déterminer si une transaction admissible entre dans le champ d'application de l'approche simplifiée et rationalisée ne sont utilisés qu'à cette fin et ne sont pas, par exemple, reproduits dans la méthode de fixation des prix utilisée pour établir les rendements des distributeurs entrant dans le champ d'application.

Calcul des filtres quantitatifs exposés au paragraphe 13.b

24. Étant donné que les valeurs des charges d'exploitation et des recettes nettes varieront dans le temps, cela entraînera inévitablement l'entrée et la sortie de certains distributeurs du champ d'application. Afin de rendre la qualification du champ d'application plus cohérente, le calcul du ratio prévu ci-dessus devrait être basé sur une moyenne pondérée sur trois ans. Le ratio moyen pondéré sur trois ans devrait être calculé sur une base annuelle afin de déterminer si une transaction qualifiée est dans le champ d'application. Par exemple, pour une opération entrant dans le champ de l'enquête au cours de l'exercice *x*, le ratio de la moyenne pondérée sur trois ans serait obtenu en (A) prenant la somme des dépenses d'exploitation annuelles pour les années *x-3*, *x-2* et *x-1*, puis (B) en prenant la somme des recettes nettes annuelles sur la même période, et en divisant ensuite (A) par (B) pour obtenir le pourcentage approprié [23] [24]. Lorsque l'opération admissible est en place depuis deux ans, il convient d'utiliser un ratio moyen pondéré sur deux ans, et lorsque l'opération admissible n'est en place que depuis un an, le ratio doit être calculé sur la base des résultats financiers de l'année en question.

3.3.3. Critère de détermination du champ d'application 14.a - Exclusion des biens et services non corporels et des matières premières

Biens incorporels et services

25. L'approche simplifiée et rationalisée s'applique aux biens corporels et ne couvre pas la distribution et la commercialisation de biens non corporels ou de services. L'approche simplifiée et rationalisée s'applique aux transactions admissibles impliquant la distribution de biens corporels pour lesquels il existe une grande cohérence dans la chaîne d'approvisionnement globale et l'analyse fonctionnelle.

Matières premières

26. Les transactions éligibles portant sur le négoce, la commercialisation ou la distribution de matières premières sont exclues du champ d'application. Cette sous-section précise l'étendue de l'exonération et définit les matières premières concernés, à la fois en utilisant un principe général et en énumérant certains matières premières spécifiques à titre d'exemple.

27. Le principe général est que l'exclusion est de nature large et englobe les transactions impliquant le commerce, la commercialisation ou la distribution de produits de base, qu'ils aient ou non un prix coté,

[23] Lorsqu'un distributeur exerce des activités autres que la distribution et qu'il reste dans le champ d'application après avoir appliqué le critère de délimitation 14.b alors les ratios décrits sous 13.b doivent être calculés sur la base de l'affectation ou de la répartition des recettes et des dépenses d'exploitation à la seule activité de distribution.

[24] Pour calculer chaque ratio, il est important de déterminer les charges d'exploitation appropriées et quels sont les revenus nets appropriés qui doivent être comptabilisés. Cette détermination doit être faite sur la base d'une délimitation précise de la transaction et en appliquant les principes énoncés au chapitre II des Principes Les paragraphes 2.99 et 2.100 des Principes peuvent fournir des éléments pertinents pour déterminer le traitement approprié des dépenses d'exploitation. En outre, les paragraphes 2.96 et 2.97 des Principes fournissent des éléments pertinents pour déterminer le traitement approprié des recettes, des rabais et des remises. Le traitement des dépenses répercutées doit être évalué lors du calcul du ratio. Dans le cas d'une délimitation précise de la transaction, il peut arriver que les coûts répercutés soient délimités et ne soient pas pris en compte dans le calcul du ratio. Cette décision doit être prise à la lumière des principes généraux énoncés ailleurs dans les Principes et des faits et circonstances. En outre, il convient de noter que la référence aux paragraphes 2.96, 2.97, 2.99 et 2.100 des Principes ne doit pas être interprétée comme modifiant les orientations existantes concernant les méthodes les plus appropriées pour évaluer la rémunération de pleine concurrence des distributeurs.

et inclut les transactions où le produit de base a subi une transformation qualifiée. Aux fins de l'approche simplifiée et rationalisée, un produit de base peut être l'un des produits suivants :

a. Un produit physique renouvelable ou non renouvelable qui est principalement dérivé de la croûte terrestre, de la terre ou de l'eau. Ces produits physiques renouvelables ou non renouvelables peuvent se présenter à l'état solide, liquide ou gazeux et prendre diverses formes ; il peut s'agir d'hydrocarbures, de minéraux, de minéroïdes et de produits agricoles.

b. Un produit physique renouvelable ou non renouvelable qui a subi une transformation admissible.

c. Un produit qui est conforme à la définition d'un produit de base figurant au paragraphe 2.18 des Principes.

28. Les définitions d'un hydrocarbure, d'un minéral, d'un minéroïde et d'un produit agricole sont les suivantes :

a. Un hydrocarbure désigne tout composé organique contenant principalement des molécules de carbone et d'hydrogène qui, sous forme solide, liquide ou gazeuse, s'est formé naturellement dans ou sur la croûte terrestre ou dans le lit de la mer ou le sous-sol marin par un processus géologique ou sous l'effet d'un processus géologique, et regroupe notamment, cette liste n'étant pas exhaustive, le pétrole brut, les sables bitumineux, les huiles lourdes et le gaz naturel que l'on peut trouver dans des réserves, des dépôts ou des gisements souterrains de pétrole ou de gaz

b. Un minéral désigne toute substance inorganique présentant une structure cristalline sous forme solide formée naturellement dans ou sur la croûte terrestre ou dans ou sous l'eau par un processus géologique ou sous l'effet d'un processus géologique, et regroupe notamment l'argile, les gemmes, le gravier, les métaux, les minerais, la roche, le sable, le sol, les pierres, le sel et toute autre substance de ce type que l'on peut trouver dans des minerais, des gisements, des réserves ou des résidus.

c. Un minéraloïde désigne toute substance ne présentant pas de structure cristalline, que ce soit sous forme solide, liquide ou gazeuse, formée naturellement dans ou sur la terre ou dans ou sous l'eau par un processus géologique ou sous l'effet d'un processus géologique, et regroupe notamment l'ambre, le charbon, l'obsidienne et l'opale et toute autre substance de ce type que l'on peut trouver dans des minerais, des gisements, des réserves ou des résidus.

d. L'adjectif « agricole » désigne tout produit primaire, brut ou transformé, qui est commercialisé en vue de la consommation humaine et regroupe notamment les sous-produits animaux tels que les produits laitiers et fibreux, la viande, les céréales, le café, le thé, les produits de la pêche et de la sylviculture, les fruits et les légumes.

29. Le terme "transformation admissible" désigne la transformation entreprise pour lier, concentrer, isoler, purifier, raffiner, mélanger, séparer, élever, récolter, produire ou libérer un hydrocarbure, un minéral, un minéraloïde ou un produit agricole. Elle comprend la transformation entreprise pour produire tous les produits intermédiaires obtenus à partir d'un hydrocarbure, d'un minéral, d'un minéraloïde ou d'un produit agricole, jusqu'à et y compris la liste non exhaustive de produits suivante :

- le gaz naturel liquéfié, le gaz de pétrole liquéfié et d'autres liquides de gaz naturel, le diesel, le kérosène, l'essence et l'hydrogène.
- oxydes métalliques, hydroxydes métalliques, anodes, cathodes, métaux moulés, aluminium et alliages.
- bovins, volailles, porcs, moutons, chèvres, blé, lait en poudre, coton, maïs, orge, riz, soja, cacao, maïs.

30. Afin de rendre plus claire l'application aux produits de base de l'exclusion, une liste de matières premières exclus non exclusive est fournie ici. Les exemples courants de métaux exclus incluent l'aluminium, le cuivre, le nickel, le fer, l'étain, l'or, le plomb, les métaux du groupe du platine, l'argent, le manganèse, le cobalt, le molybdène, le carbonate/l'hydroxyde de lithium, l'acide borique, le titane, l'uranium et le zinc, auxquels s'ajoutent les oxydes métalliques et les hydroxydes métalliques. Des exemples d'anodes incluent les anodes de cuivre et de graphite. Pour les cathodes, il peut s'agir de cathodes de cuivre, de cobalt et de nickel. Les exemples courants de produits pétroliers et gaziers incluent le pétrole brut, les sables bitumineux, les huiles lourdes, le gaz naturel, le naphte, le gaz naturel liquéfié, le gaz de pétrole liquéfié et d'autres liquides de gaz naturel, le diesel, le kérosène, l'essence et l'hydrogène. Les exemples courants de produits agricoles incluent le bétail tel que les bovins, la volaille, les porcins, les ovins, les caprins, les matières premières agricoles telles que le blé, le coton, le maïs, l'avoine, l'orge, le riz, le soja, le cacao, le sucre, le café, les produits de la pêche et de la sylviculture, les fruits et les légumes.

31. Les produits énumérés se situent généralement à l'étape finale du processus de production et il est possible qu'un groupe d'entreprises multinationales vende également des produits qui se trouvent à un stade antérieur à cette étape, c'est-à-dire des produits intermédiaires. Dans la mesure où les produits intermédiaires répondent aux définitions précédentes, ils seraient toujours couverts par l'exclusion des produits de base.

3.3.4. Critère de de détermination du champ d'application 14.b - Activités de non-distribution distinctes de l'opération éligible

32. Les distributeurs qui s'engagent dans des opérations admissibles s'engagent parfois dans des activités de non-distribution. Lorsqu'une telle partie testée exerce des activités de non-distribution, la transaction admissible ne peut rester dans le champ d'application que si, sur la base d'une délimitation précise de la transaction, elle peut être évaluée de manière adéquate et distincte de toutes les transactions de non-distribution, et si elle peut être évaluée de manière fiable et distincte de toutes les transactions de non-distribution en vertu des principes énoncés aux paragraphes 3.9 à 3.12 des Principes. Des illustrations de l'application des paragraphes 3.9 à 3.12 dans le contexte de l'approche simplifiée et rationalisée sont fournies aux paragraphes 35 à 37.

33. Parmi les exemples d'activités autres que la distribution, on peut citer la fabrication, la recherche et le développement, l'approvisionnement, le financement ou la distribution au détail au-delà du seuil de minimis mentionné dans les définitions des Principes. Des mesures objectives peuvent être utilisées pour déterminer si le distributeur exerce ces activités. Par exemple,

- pour la production, l'existence de stocks de production (stocks de main-d'œuvre directe et/ou de travaux en cours) et/ou l'existence d'actifs de fabrication (par exemple, immobilisations corporelles) ;
- pour la recherche et le développement, l'engagement de dépenses de recherche et de développement, même si elles sont remboursées ;
- pour les achats, l'existence d'une commission sur les achats ;
- pour le financement, l'existence d'actifs de prêt dans le bilan ; et
- pour le commerce de détail, le profil de vente du distributeur (par exemple, la preuve des canaux de vente du distributeur et l'étendue des ventes réalisées auprès des clients du commerce de détail), ou la détention ou la location d'un bien immobilier ayant pignon sur rue.

34. Une partie testée peut cumuler des activités de distribution et des activités autres que de distribution pour lesquelles elle n'établit pas de prix distincts, et traiter dans la pratique ces activités comme une seule transaction groupée. À titre d'exemple, un distributeur de produits peut aussi fournir des services distincts de la transaction de distribution, mais ne facturer qu'un seul prix pour la fourniture globale des

produits et services considérée comme une transaction groupée. Dans la mesure où ces activités distinctes (dans ce cas, la distribution et les services) ne font pas l'objet d'une transaction distincte avec les parties liées ou non liées et que leur prix conforme au principe de pleine concurrence n'est pas établi séparément, il se peut qu'il ne soit pas possible d'évaluer correctement l'activité de distribution isolément ou de déterminer isolément son prix de manière fiable, faute de pouvoir distinguer les flux de recettes provenant de la transaction d'ensemble. La section suivante présente des exemples de cas dans lesquels il peut être difficile de procéder à une évaluation distincte adéquate et d'établir séparément le prix des transactions de manière fiable.

Illustration des situations dans lesquelles l'évaluation distincte de la transaction de distribution peut ne pas être pertinente ou dans lesquelles son prix ne peut pas être établi séparément de manière fiable.

35. Les paragraphes 3.9 à 3.12 des Principes donnent des exemples de transactions si étroitement liées ou continues qu'elles ne peuvent être évaluées de manière adéquate sur une base séparée. Quelques exemples appliqués au contexte de l'approche simplifiée et rationalisée sont fournis ci-dessous.

36. Supposons qu'un distributeur contribue au développement de brevets de fabrication pour des produits qui ne sont pas liés aux produits distribués. L'opération admissible resterait dans le champ d'application à condition que les recettes, les coûts directs et indirects et les actifs liés au développement des brevets puissent être séparés de manière fiable de l'opération admissible, qu'ils soient attribués ou répartis, de sorte que les recettes, les coûts directs et indirects et les actifs restants ne soient liés qu'à l'opération de distribution admissible.

37. Un autre exemple de cas où il est difficile de procéder à une évaluation séparée adéquate et à une tarification séparée fiable est celui où un groupe d'entreprises multinationales regroupe la fourniture de biens et de services et où il peut être difficile de dissocier ces activités et, par conséquent, de quantifier les recettes et les bénéfices attribuables à chacune d'entre elles. C'est le cas, par exemple, lorsqu'un distributeur propose un financement aux consommateurs (par exemple, des conditions de paiement matériellement différées ou un financement directement lié à la vente de produits) parallèlement à la vente de biens corporels. Dans ce cas, il peut être difficile de distinguer les résultats financiers liés à la distribution de biens matériels de ceux liés au financement[25].

Orientations relatives à l'affectation pratique du chiffre d'affaires, des coûts et des actifs aux activités de distribution

38. Les paragraphes 2.83, 2.84, 2.85, 2.86, 2.91 et 2.98, ainsi que les sections B.2.2.2 et B.2.3 du chapitre VII énoncent les principes généraux relatifs à l'affectation des revenus, des coûts, des actifs et des passifs dans le cadre d'une transaction de distribution et d'autres transactions. Une répartition des actifs aux fins de la détermination du prix de l'opération admissible dans le champ d'application doit suivre ces orientations et les principes sous-jacents, même si les actifs ne sont pas spécifiquement mentionnés dans les orientations.

---

[25] Conformément à la section D.8 du chapitre I et au paragraphe 1.179 des Principes, des synergies entre groupes d'entreprises multinationales peuvent apparaître dans le cadre de transactions contrôlées, pour lesquelles une compensation spécifique dans des conditions de pleine concurrence peut être justifiée. Ces principes doivent également être pris en compte dans le cadre de cette approche simplifiée et rationalisée. Par exemple, lorsqu'un distributeur apporte des contributions pour créer de telles synergies au sein d'un groupe d'entreprises multinationales, ou lorsqu'une activité économique non liée à la distribution exercée au sein de la même entreprise multinationale que le distributeur conduit à ce que des contributions similaires soient apportées au profit du distributeur, cela peut conduire à des difficultés dans l'évaluation séparée adéquate de la transaction admissible, au motif qu'une compensation peut devoir être imputée en ce qui concerne la création de la synergie.

39. Les administrations fiscales auront besoin de diverses informations pour évaluer la fiabilité de l'affectation ou de la répartition des recettes, des coûts, des actifs et des passifs, et les contribuables devront préparer ces informations conformément aux exigences de documentation examinées à la section 6. En particulier, les administrations fiscales peuvent être amenées à évaluer l'information financière interne, l'organigramme de l'entité et la structure de gestion de l'entité, sur plusieurs exercices fiscaux. Les administrations fiscales peuvent également être amenées à vérifier si l'affectation ou la répartition des recettes, des coûts, des actifs et des passifs a été effectuée de manière cohérente.

4 Application du principe de la méthode la plus appropriée aux transactions couvertes

40. La sélection d'une méthode de prix de transfert vise toujours à trouver la méthode la plus appropriée pour un cas particulier. Toutefois, lors de l'évaluation du choix de la méthode pour les transactions entrant dans le champ de l'enquête, il n'est pas nécessaire de prouver qu'une méthode particulière *n'est pas* adaptée aux circonstances, ni d'analyser en profondeur ou de tester *toutes les* méthodes de prix de transfert dans chaque cas pour sélectionner la méthode la plus appropriée[26].

41. Sur la base des caractéristiques économiquement pertinentes des transactions entrant dans le champ d'application et des informations disponibles sur des transactions comparables non contrôlées, la méthode transactionnelle de la marge nette est choisie comme la méthode la plus appropriée dans le cadre de l'approche simplifiée et rationalisée.

42. Toutefois, il est reconnu qu'il peut y avoir des cas (bien que rares, puisque la distribution de matières premières est exclue du champ d'application) où l'application de la méthode des prix comparables non contrôlés utilisant des comparables internes pourrait être potentiellement plus appropriée pour fixer le prix des transactions dans le champ d'application. Dans ces cas, pour les transactions entrant dans le champ d'application de l'approche simplifiée et rationalisée, une exception est prévue qui permet d'utiliser la méthode du prix comparable non contrôlé utilisant des comparables internes pour fixer de manière fiable le prix des transactions entrant dans le champ d'application lorsque cela est conforme à la partie II B du chapitre II et à la section A.4.2. du chapitre III des Principes et que les comparables ainsi que toute information utilisée pour déterminer que l'application de la méthode du prix comparable non contrôlé est plus appropriée sont facilement accessibles aux administrations fiscales et aux contribuables.

[26] Voir les paragraphes 2.2 et 2.8 des Principes

5 Détermination de la rémunération de pleine concurrence en vertu de l'approche simplifiée et rationalisée

43. La méthodologie et les orientations présentées dans la section 5, y compris les éléments de conception décrits aux points 5.1, 5.2 et 5.3, ainsi que les termes définis utilisés dans ces éléments, sont spécifiques à l'application de l'approche simplifiée et rationalisée. Comme pour tous les autres éléments de conception de l'approche simplifiée et rationalisée, ni l'inclusion du recoupement des dépenses d'exploitation, ni le mécanisme de disponibilité des données, ni aucune des caractéristiques individuelles de ces éléments de conception ne doivent être interprétés comme impliquant qu'ils seraient inclus dans l'application d'une méthode la plus appropriée déterminée en vertu du reste des Principes pour toute transaction.

5.1. Matrice de fixation des prix

44. L'application des critères de recherche pertinents de l'analyse comparative ainsi qu'une sélection supplémentaire et un examen manuel pour refléter les critères de cadrage ont conduit au développement d'un ensemble de données mondiales d'entreprises impliquées dans des activités de commercialisation et de distribution de référence. Les informations financières tirées de cet ensemble de données ont en partie servi de base à l'approximation des résultats de pleine concurrence qui ont été traduits en une matrice de prix[27].

45. Le rapprochement des résultats de pleine concurrence a été présenté sous la forme de segments de matrice établis à partir des facteurs suivants : intensité des actifs d'exploitation rapportés au chiffre d'affaires (OAS), intensité des charges d'exploitation rapportées au chiffre d'affaires (OES) et secteur.

46. Aux fins de l'approche simplifiée et rationalisée, le rendement des ventes a été appliqué comme indicateur du bénéfice net afin d'établir les résultats en matière de prix pour les transactions dans le champ d'application.

[27] Voir l'appendice A pour plus de détails.

Tableau 5.1. Matrice de fixation des prix (% de marge d'exploitation) établie à partir du jeu de données mondiales

Catégorie sectorielle	Catégorie sectorielle 1	Catégorie sectorielle 2	Catégorie sectorielle 3
Intensité factorielle			
(A) OAS de 45 % ou plus, tous niveaux d'OES	**3.50%**	**5.00%**	**5.50%**
(B) OAS compris entre 30 % et inférieur à 45 %, tous niveaux d'OES	**3.00%**	**3.75%**	**4.50%**
(C) OAS compris entre 15 % et inférieur à 30 %, tous niveaux d'OES	**2.50%**	**3.00%**	**4.50%**
(D) OAS inférieur à 15 %, OES égal ou supérieur à 10 %	**1.75%**	**2.00%**	**3.00%**
(E) OAS inférieur à 15 %, OES inférieur à 10 %	**1.50%**	**1.75%**	**2.25%**

47. Aux fins de déterminer la déclaration d'une partie testée impliquée dans des transactions entrant dans le champ de l'enquête pour l'exercice fiscal concerné, l'administration fiscale et le contribuable concerné[28] appliqueront la procédure en trois étapes suivante :

a. Étape 1 - Déterminer le(s) groupe(s) industriel(s) pertinent(s) de la partie testée parmi les trois groupes possibles (c'est-à-dire le groupe industriel 1, 2, 3) et identifier la(les) colonne(s) verticale(s) applicable(s) du rendement des ventes dans la matrice de tarification de la figure 5.1 qui correspond(ent) à ce groupe industriel. Si les produits distribués relèvent de plus d'un groupe industriel, il convient de calculer la proportion des ventes relevant de chaque groupe industriel. Si au moins 80 % des ventes relèvent d'un seul groupe industriel et que 20 % ou moins des ventes relèvent d'un ou de plusieurs groupes industriels différents, ces derniers ne seront pas déterminants pour la fixation du rendement de la matrice et le rendement sera fixé en se référant uniquement à la cellule de la matrice correspondant au groupe industriel dans lequel la majorité des ventes sont réalisées. Si plus de 20 % des ventes concernent des produits relevant d'un deuxième et/ou d'un troisième groupe industriel, un rendement moyen pondéré doit être calculé à l'adresse suivante.

b. Étape 2 - déterminer la classification de l'intensité factorielle de la partie testée[29] parmi les cinq classifications possibles (c'est-à-dire la classification de l'intensité factorielle A, B, C, D et E) et identifier la ligne horizontale applicable de la rentabilité des ventes dans la matrice de tarification de la figure 5.1 qui correspond à cette classification de l'intensité

[28] En ce qui concerne les options de mise en œuvre décrites au paragraphe 7 des présentes orientations, l'expression "contribuable concerné" désigne : (i) les contribuables qui choisissent d'appliquer l'approche simplifiée et rationalisée dans une juridiction de résidence qui autorise ce choix, et (ii) les contribuables qui sont par ailleurs tenus d'appliquer l'approche simplifiée et rationalisée dans la juridiction de résidence.

[29] Afin de calculer l'actif net d'exploitation de la partie testée pour les années concernées et d'atténuer le risque de distorsion des conditions de crédit, un délai de carence de 90 jours s'applique, de sorte que la valeur des créanciers utilisée dans les calculs respectifs ne dépasse pas le coût des marchandises vendues / 365 * 90. Un exemple illustratif, l'exemple 6, sur l'application pratique du délai de carence pour les comptes créditeurs est inclus dans l'appendice B.

factorielle. La classification de l'intensité factorielle de la partie testée doit être calculée sur la base d'une moyenne pondérée des trois exercices précédents[30].

c. Étape 3 - Identifier la fourchette du segment de la matrice de tarification qui correspond à l'intersection du ou des groupes sectoriels et de la classification de l'intensité factorielle de la partie testée. Si nécessaire, le rendement moyen pondéré doit être calculé en multipliant chaque rendement des cellules pertinentes de la matrice par la proportion des ventes dont le prix doit être fixé par référence à cette cellule et en totalisant ces rendements proportionnels pour obtenir un taux de rendement moyen pondéré unique applicable à toutes les ventes de ce distributeur. De cette manière, la pondération des classifications de l'intensité des facteurs repose uniquement sur la proportion des ventes attribuée à chaque groupe industriel et ne nécessite pas de calcul reconnaissant les dépenses d'exploitation et les actifs spécifiques à chaque groupe industriel.

48. Le rendement dérivé de l'application de l'étape 3 de la section 5.1 produira une fourchette égale au pourcentage de rentabilité des ventes[31] obtenu à partir de la matrice des prix (tableau 5.1), plus ou moins 0,5 %. Tout point situé à l'intérieur de cette fourchette acceptable peut être pris en compte pour démontrer la conformité avec la section 5.1 et servira de base à tout ajustement ultérieur susceptible de s'appliquer conformément à la section 5.2 et 5.3 ci-dessous.

49. Aux fins de l'approche simplifiée et rationalisée, les contribuables concernés appliqueront et testeront le résultat réel des transactions dans le champ d'application pour démontrer que les conditions de ces transactions étaient compatibles avec l'approche simplifiée et rationalisée sur une base *ex post* (c'est-à-dire l'approche du test de résultat de pleine concurrence). Ce test a généralement lieu dans le cadre du processus d'établissement de la déclaration fiscale de fin d'année.[32]

50. En affirmant l'application de l'approche simplifiée et rationalisée aux transactions du champ de l'enquête, les administrations fiscales doivent garder à l'esprit les indications du paragraphe 3.60 des Principes concernant les transactions contrôlées qui se situent à l'intérieur de la fourchette. En outre, lorsque la marge déclarée par un contribuable concerné se situe en dehors de la fourchette résultant de l'application appropriée de l'approche simplifiée et rationalisée par une administration fiscale, les administrations fiscales doivent utiliser le pourcentage de retour sur ventes dérivé de la matrice de tarification (table 5.1) pour ajuster la marge de la transaction contrôlée.

5.2. Vérification par recoupement des charges d’exploitation visant a tenir compte des niveaux d’intensité fonctionnelle élevés ou faible

51. Aux fins de l'approche simplifiée et rationalisée, un contrôle croisé des dépenses d'exploitation est appliqué comme un garde-fou à l'intérieur duquel l'indicateur principal de rentabilité du bénéfice net des ventes est appliqué. Lorsque l'application de l'indicateur de rentabilité du bénéfice net des ventes donne un résultat qui sort de la fourchette prédéfinie de plafonnement des dépenses d'exploitation précisée au tableau 5.2 ci-dessous, la rentabilité de la partie testée est ajustée conformément au paragraphe 52(d).

---

[30] Lorsque l'opération admissible est en place depuis deux ans, il convient d'utiliser un ratio moyen pondéré sur deux ans, et lorsque l'opération admissible n'est en place que depuis un an, le ratio doit être calculé sur la base des résultats financiers de l'année en question.

[31] Dans le cas où plus de 20 % des ventes proviennent de produits ne relevant pas d'un seul groupe industriel, le rendement obtenu à l'étape 3 produira une fourchette égale au rendement moyen pondéré déterminé conformément au paragraphe 47 plus ou moins 0,5 %.

[32] Voir le paragraphe 3.70 des Principes.

Tableau 5.2. Fourchette de plafonnement des dépenses d'exploitation

	Fourchette de plafonnement des dépenses d'exploitation		
Intensité factorielle	Taux plafond par défaut	Taux plafonds alternatifs pour les juridictions éligibles	Taux de collier
OAS élevé (A)	70%	80%	10%
OAS moyen (B+C)	60%	70%	
OAS faible (D+E)	40%	45%	

52. Le contrôle croisé des dépenses de fonctionnement s'applique à toutes les transactions dans le champ de l'enquête et exige de l'administration fiscale et du contribuable concerné qu'ils appliquent le processus en quatre étapes suivant :

a. Étape 1 - L'administration fiscale et le contribuable déterminent le rendement des ventes pour la partie testée conformément aux orientations de la section 5.1 et calculent un rendement équivalent des dépenses d'exploitation dérivé de ce rendement.

b. Étape 2 - L'administration fiscale et le contribuable déterminent la fourchette de plafonnement des frais d'exploitation applicable, calculée à partir de la figure 5.2. Le taux de plafonnement applicable est déterminé par référence à : (i) la classification de l'intensité factorielle de la partie testée[33], et (ii) si la partie testée est soumise aux taux de plafonnement par défaut[34] ou aux taux de plafonnement alternatifs[35] pour les juridictions admissibles au sens de la section 5.2.

c. Étape 3 - L'administration fiscale et le contribuable comparent le rendement équivalent des frais d'exploitation de la partie testée au plafond des frais d'exploitation déterminé à l'étape 2.

d. Étape 4 - Lorsque le rendement équivalent des dépenses d'exploitation de la partie testée déterminé à l'étape 1 se situe dans la fourchette de plafonnement des dépenses d'exploitation, il n'est pas nécessaire d'ajuster le rendement des ventes calculé à la section 5.1. Toutefois, lorsque le rendement équivalent des dépenses d'exploitation de la partie testée déterminé à l'étape 1 dépasse le plafond des dépenses d'exploitation, le rendement des ventes de la partie testée est ajusté à la baisse jusqu'à ce qu'il aboutisse à un rendement équivalent des dépenses d'exploitation égal au plafond des dépenses d'exploitation. Inversement, si le rendement équivalent des dépenses d'exploitation de la partie testée est inférieur au plafond des dépenses d'exploitation, le rendement des ventes de la partie testée sera ajusté à la hausse jusqu'à ce qu'il aboutisse à un rendement équivalent des dépenses d'exploitation égal au plafond des dépenses d'exploitation.

5.3. Mécanisme de disponibilité des données pour les juridictions éligibles

53. Le mécanisme de disponibilité des données est destiné à tenir compte des cas où l'ensemble des données globales ne contient pas de données ou des données insuffisantes pour une juridiction particulière de la partie testée et où cette juridiction est une juridiction qualifiée au sens de la section 5.3.[36]

[33] Cela doit correspondre à la classification de l'intensité factorielle de la partie testée, déterminée conformément au point 47 b) de la section 5.1.

[34] Les taux plafonds par défaut s'appliquent aux fins de l'étape 2, sauf si la partie testée est située dans une juridiction qualifiée au sens de la section 5.2

[35] Des taux plafonds alternatifs s'appliquent aux fins de l'étape 2 lorsque la partie testée est située dans une juridiction qualifiée au sens de la section 5.2.

[36] Voir le paragraphe 1.167 des Principes

54. Lorsqu'une partie testée est située dans une juridiction qualifiée, un ajustement sera effectué sur le rendement initialement déterminé en vertu des sections 5.1 et 5.2, le cas échéant. Un contribuable concerné situé dans une juridiction qualifiée susmentionnée obtiendra un rendement ajusté conformément à la formule suivante :

$$\text{Marge d'exploitation ajustée} = ROS^{TP} + (NRA^{J} \times OAS\ )^{TP}$$

Sachant que -

- ROS^{TP} est la marge d'exploitation, exprimée en pourcentage, de la partie testée calculée conformément à la section 5.1 et à la section 5.2 le cas échéant.
- NRAJ est le coefficient net d'ajustement du risque pour une juridiction donnée, calculé à partir du tableau 5.3 ci-dessous, lorsque la catégorie applicable est déterminée par référence à la notation de crédit souveraine [37] de la juridiction de la partie testée applicable au moment de la période considérée.[38]
- OAS^{TP} est le ratio d'intensité des actifs d'exploitation nets de la partie testée pour la période considérée, qui ne peut excéder 85 % aux fins du calcul de la marge d'exploitation de la partie testée.

Tableau 5.3. Coefficient net d'ajustement du risque à appliquer à l'OAS d'une Partie testée dans les juridictions éligibles

Catégorie de notation de la dette souveraine		Coefficient net d'ajustement %[39]
Catégorie investissement	BBB+	0.0%
	BBB	0.0%
	BBB-	0.3%
Catégorie spéculative	BB+	0.7%
	BB	1.2%
	BB-	1.8%
	B+	2.8%
	B	3.8%
	B-	4.9%
	CCC+	5.9%
	CCC	7.5%
	CCC- (ou inférieure)	8.6%

[37] Lorsque les agences de notation indépendantes reconnues attribuent des notations de crédit souverain multiples et variables à une juridiction qualifiée, la détermination du pourcentage net d'ajustement au risque applicable, conformément au chiffre 5.3, doit se fonder sur la notation de crédit souverain de cette juridiction qualifiée qui a été émise ou réaffirmée le jour le plus proche du premier jour de l'exercice fiscal concerné.

[38] Lorsqu'il n'existe pas de notation souveraine pour une juridiction qualifiée de la part des agences de notation indépendantes reconnues, le pourcentage net d'ajustement au risque applicable est égal au pourcentage net moyen d'ajustement au risque pour toutes les catégories autres que l'investissement, tel qu'il ressort du tableau 5.3.

[39] La méthodologie appliquée pour calculer les pourcentages d'ajustement du risque net dans la figure 5.3 consiste à déterminer la moyenne sur cinq ans de l'écart de défaut de la dette souveraine pour chaque catégorie de notation (à partir de données compilées par Aswath Damodaran, NYU Stern School of Business) moins un ajustement de double comptage qui cherche à se rapprocher du risque pays existant dans l'ensemble des données mondiales.

5.4. Mises à jour périodiques

55. Afin de simplifier la charge administrative associée à l'application de l'approche simplifiée et rationalisée, l'analyse à l'appui de la détermination des fourchettes visées à la section 5.1 et des taux de plafonnement et de coloration des frais d'exploitation à la section 5.2 sera mise à jour tous les cinq ans, à moins qu'un changement important dans les conditions du marché ne justifie une mise à jour intermédiaire.

56. Les données financières et autres points de référence mentionnés à la section 5.1 et à la section 5.3 seront réexaminées chaque année et mises à jour si nécessaire.

6 Documentation

57. En règle générale, la documentation des prix de transfert garantit que les administrations fiscales ont accès aux informations dont elles ont besoin pour procéder à une évaluation des risques et/ou vérifier les pratiques du contribuable en matière de prix de transfert[40]. .S'agissant de l'approche simplifiée et rationalisée, la documentation est importante pour garantir que les administrations fiscales disposent d'informations suffisantes et fiables pour déterminer si les transactions admissibles des contribuables répondent aux critères de délimitation du champ d'application et si les contribuables ont correctement appliqué l'approche simplifiée et rationalisée aux transactions entrant dans le champ d'application.

58. Cette section recense les principaux éléments d'information renseignés dans le fichier local qui peuvent être utiles aux fins d'étayer la position du contribuable au regard de l'applicabilité de l'approche simplifiée et rationalisée et fournir aux administrations fiscales les renseignements nécessaires. Lorsqu'elles envisagent d'adopter des obligations de documentation ciblées pour l'approche simplifiée et rationalisée, les juridictions peuvent prévoir des mesures de simplification en faveur des petites et moyennes entreprises afin de limiter leurs coûts et leur charge de conformité[41].

59. L'approche à trois niveaux de la documentation des prix de transfert décrite dans le chapitre V comprend un fichier local, qui fournit des informations détaillées sur les transactions interentreprises spécifiques du contribuable. La logique suivie s'agissant de la documentation relative à l'approche simplifiée et rationalisée repose sur l'idée selon laquelle le contenu actuel du fichier local (voir l'annexe II du chapitre V) comprend les éléments d'information et les documents nécessaires pour examiner la position du contribuable.

60. Les éléments d'information suivants peuvent déjà figurer dans le fichier local et s'avérer particulièrement utiles et pertinents pour les administrations fiscales amenées à évaluer si les transactions éligibles du contribuable satisfont aux critères du champ d'application et, dans le cas où le contribuable a appliqué la méthode de fixation des prix, s'il l'a fait correctement :

a. Une explication sur la délimitation de la transaction éligible couverte, notamment l'analyse fonctionnelle du contribuable et des entreprises associées concernées au regard des transactions couvertes, ainsi que du contexte dans lequel ces transactions s'inscrivent (par exemple, s'il existe d'autres relations commerciales ou financières entre la partie testée/le contribuable et d'autres entreprises associées, qui peuvent avoir une incidence sur la délimitation exacte de la transaction éligible susceptible d'entrer dans le champ d'application

b. Le contrat écrit ou les accords conclus régissant la transaction éligible et corroborant l'explication de la délimitation de la transaction éligible couverte décrite au point a).

c. Les calculs relatifs à la détermination du chiffre d'affaires, des coûts et des actifs affectés ou attribués à la transaction couverte.

---

[40] Voir les paragraphes 5.5 et 5.6 des Principes.

[41] Voir le paragraphe 5.33 des Principes.

d. Des informations et des tableaux de répartition montrant comment les données financières utilisées pour évaluer l'applicabilité de l'approche simplifiée et rationalisée et appliquer la méthode de détermination des prix de transfert peuvent être reliées aux états financiers annuels.

61. S'agissant de l'élément d'information mentionné au 60(b), sous réserve de satisfaire aux critères de détermination du champ d'application et d'être confirmé par le comportement des parties, un contrat écrit faciliterait l'application de l'approche simplifiée et rationalisée lorsqu'un contribuable souhaite y recourir dans le cadre d'une transaction éligible. Toutefois, qu'il y ait ou non un contrat écrit, les administrations fiscales ou les contribuables peuvent faire valoir ou contester l'approche sur la base d'une délimitation précise de la transaction effectuée conformément aux principes énoncés au chapitre I des Principes. Toutefois, même en l'absence d'un contrat écrit, les administrations fiscales ou les contribuables peuvent justifier ou contester le bien-fondé de l'approche sur la base de la délimitation précise de la transaction effectuée conformément aux principes énoncés au chapitre I des Principes. [42]

62. Des informations financières sur la partie testée sont nécessaires pour comprendre si la transaction éligible remplit les critères du champ d'application, que la partie testée soit une entité nationale ou étrangère.[43] Aussi, le contribuable devra également fournir les comptes financiers annuels de la partie testée pour les exercices fiscaux concernés.

63. Lorsqu'une ou plusieurs informations permettant d'évaluer l'application de l'approche simplifiée et rationalisée ne figurent pas dans la documentation sur les prix de transfert, les administrations fiscales peuvent demander aux contribuables de les fournir sur demande. Surtout, le fait de mettre ces informations à la disposition des administrations fiscales dans le cadre des exigences déclaratives annuelles relatives aux prix de transfert ou sur demande peut se traduire par une diminution des demandes ultérieures de renseignements et des vérifications du contribuable, ainsi que par une utilisation plus efficace des ressources des administrations fiscales

64. Outre les informations contenues dans le fichier local, les contribuables et les administrations fiscales doivent exploiter les informations fournies dans le fichier principal pour étayer leur position en ce qui concerne l'application de l'approche tarifaire. En particulier, le fichier principal peut fournir des informations de valeur sur les activités du Groupe d'EMN, notamment les principaux produits, les principaux marchés géographiques, la politique de prix ou la stratégie générale du groupe en matière de mise au point, de propriété et d'exploitation des actifs incorporels. Afin d'éviter une charge de travail excessive pour les contribuables, les administrations fiscales devraient s'abstenir, lorsqu'elles évaluent l'applicabilité de l'approche simplifiée et rationalisée aux transactions admissibles d'un contribuable donné, de demander au contribuable de produire ou de soumettre des informations qu'elles détiennent déjà.

65. Le fait que le contribuable ait préparé et soumis les informations susmentionnées à l'administration fiscale n'empêche pas cette dernière d'examiner l'auto-évaluation du contribuable pour déterminer si les critères de délimitation du champ d'application sont respectés et si la méthode de fixation des prix a été appliquée correctement.

66. Enfin, lorsque le contribuable souhaite appliquer l'approche simplifiée et rationalisée pour la première fois, il doit inclure dans son dossier local, ou dans toute autre documentation pertinente pour l'application de l'approche, un consentement à appliquer l'approche pendant au minimum trois ans, à moins que les transactions n'entrent plus dans le champ d'application pendant cette période, ou qu'il y ait un changement significatif dans l'activité du contribuable, et notifier cette circonstance aux autorités fiscales des juridictions concernées par la transaction admissible. Dans le cadre de la procédure de première notification, les administrations fiscales pourraient demander au contribuable qu'il fournisse tout

[42] Voir le paragraphe 1.49 des Principes

[43] Voir le paragraphe 3.22 des Principes

ou partie des éléments d'information énumérés au paragraphe 60. En outre, les administrations fiscales peuvent demander aux contribuables qui souhaitent appliquer l'approche simplifiée et rationalisée de fournir un contrat écrit signé en amont de la transaction éligible. La phrase précédente n'a pas pour objet de modifier en quoi que ce soit le rôle d'un contrat écrit dans la délimitation précise de la transaction, comme indiqué à la section D.1 du chapitre I.

7 Problèmes transitoires

67. Les Groupes d'EMN peuvent réorganiser leurs modèles d'activité de distribution et, par conséquent, conclure des transactions éligibles qui remplissent les conditions pour entrer dans le champ d'application de l'approche simplifiée et rationalisée. De la même façon, certains Groupes d'EMN ayant conclu des transactions couvertes peuvent, à la suite de la restructuration de leurs accords de distribution, ne plus remplir les conditions requises pour appliquer l'approche simplifiée et rationalisée.

68. Comme il est indiqué au paragraphe 9.34, les Groupes d'EMN sont libres d'organiser leurs activités commerciales comme ils l'entendent et les administrations fiscales n'ont pas le droit de leur dicter comment concevoir leur structure ou où localiser leurs activités commerciales. Les administrations fiscales ont toutefois le droit de déterminer les conséquences fiscales de la réorganisation. À cet égard, les instructions du chapitre IX restent pertinentes, que l'approche simplifiée et rationalisée soit applicable aux transactions éligibles pré- ou post-réorganisation.

69. Certaines entreprises associées peuvent tenter de réorganiser artificiellement leurs arrangements afin de tirer des avantages fiscaux de l'application de l'approche simplifiée et rationalisée. Ces scénarios pourraient faire l'objet d'un examen plus approfondi de la part des autorités fiscales afin d'empêcher l'utilisation de l'approche à des fins de planification fiscale, et les juridictions pourraient adopter des approches ciblées pour répondre à ces préoccupations[44].

70. Dans certains cas, l'approche simplifiée et rationalisée peut s'appliquer à un distributeur restructuré ayant des pertes intrinsèques d'années fiscales précédentes. Le traitement fiscal de ces pertes, notamment la question de savoir si elles peuvent être utilisées ou si elles sont déductibles, dépend de la législation interne et des procédures administratives de chaque juridiction et ne rentre pas dans le cadre de ces orientations.

[44] Toute réorganisation d'entreprise doit être correctement documentée dans le fichier principal et le fichier local. Voir les paragraphes 9.32 - 9.33 des Principes

8 Sécurité juridique en matière fiscale et élimination de la double imposition

71. Comme pour toute question ayant trait aux prix de transfert, lorsqu'une administration fiscale procède à un ajustement primaire qui aboutit à une double imposition des bénéfices tirés de la transaction éligible concernée, un ajustement corrélatif peut atténuer ou éliminer la double imposition par un ajustement à la baisse de la charge d'impôt pesant sur l'entreprise associée située dans une deuxième juridiction fiscale. Certaines juridictions peuvent être en mesure d'éliminer la double imposition économique moyennant des ajustements corrélatifs unilatéraux en s'appuyant sur les dispositions de leur droit interne[45]. Pour la plupart d'entre elles cependant, la possibilité de recourir à des ajustements corrélatifs ne peut s'envisager que dans le cadre d'une procédure amiable[46].

72. Les contribuables qui demandent l'ouverture d'une procédure amiable, lorsqu'une ou plusieurs juridictions concernées par la procédure amiable n'ont pas choisi d'appliquer ou d'accepter l'approche simplifiée et rationalisée, doivent fonder toute justification de leur position[47] uniquement sur le reste des Principes[48]. Dans le cadre d'une procédure amiable ou d'une procédure d'arbitrage, lorsqu'une ou plusieurs juridictions concernées par la procédure amiable n'ont pas choisi d'appliquer ou d'accepter l'approche simplifiée et rationalisée, les autorités compétentes des deux juridictions engagées dans cette procédure amiable doivent justifier leur position en se fondant uniquement sur le reste des Principes. Dans ce cas précis, l'approche simplifiée et rationalisée prévue par les Principes ne doit pas être considérée ou mentionnée par les autorités compétentes concernées comme une approche considérée comme conduisant à un résultat acceptable[49]. Cela vaut également pour la conduite de la procédure amiable,

---

[45] Voir le Commentaire de l'article 25, paragraphe 12. 12.

[46] Voir le paragraphe 4.32 des Principes

[47] Cela concerne spécifiquement les situations dans lesquelles un contribuable devrait présenter une position à une autorité compétente lorsqu'il introduit une demande de procédure amiable ou choisit de présenter une telle position, et ne signifie pas qu'un contribuable est obligé de présenter une position afin d'accéder à une procédure amiable. En d'autres termes, un contribuable qui ne justifie pas sa position uniquement par le reste des Principes a toujours accès à une procédure amiable.

[48] Si un accord entre autorités compétentes prévoit l'application de l'approche simplifiée et rationalisée, ou si les juridictions des deux parties à la transaction choisissent d'appliquer l'approche simplifiée et rationalisée, les autorités compétentes s'appuieront sur l'approche simplifiée et rationalisée. Dans de telles circonstances, les contribuables peuvent également s'appuyer sur cette approche. En l'absence d'un tel accord entre les autorités compétentes, et si les autorités compétentes n'ont pas par ailleurs convenu d'appliquer l'approche simplifiée et rationalisée dans le cas concerné, le contribuable devra, s'il présente une position, se fonder sur le reste des Principes.

[49] Voir note de bas de page 54.

comme base d'une résolution de la procédure amiable, ou par toute partie (y compris les arbitres) dans la conduite d'une procédure d'arbitrage.[50]

73. Ce principe général est illustré ci-dessous par l'examen de deux sources potentielles de double imposition. Ces scénarios ne doivent pas être considérés comme exhaustifs, mais plutôt comme une tentative d'illustrer le processus par lequel une telle double imposition peut être évitée.

74. Une source potentielle de double imposition pourrait se produire lorsqu'un contribuable a appliqué l'approche simplifiée et rationalisée pour fixer le prix d'une transaction dans le champ d'application dans une juridiction qui a choisi d'appliquer l'approche, et qu'un ajustement primaire est effectué par la juridiction de la contrepartie sur la base des autres dispositions des Principes.

75. Pour remédier à toute double imposition qui en résulterait, une demande d'ajustement correspondant devrait être analysée au titre du paragraphe 2 de l'article 9. Étant donné que l'ajustement primaire est effectué par une juridiction sur la base du reste des Principes, cette demande pourrait être adressée à la juridiction où l'approche simplifiée et rationalisée s'applique.[51] Dans ce cas, et dans la mesure où l'ajustement primaire peut être justifié en vertu du reste des Principes,[52] l'autorité compétente de la juridiction où l'approche simplifiée et rationalisée s'applique accordera l'allègement de la double imposition en procédant à un ajustement correspondant.

76. Si l'élimination de la double imposition ne peut être obtenue de cette manière en vertu du paragraphe 2 de l'article 9,[53] , une procédure amiable peut être engagée. Dans ce cas, les contribuables engagés dans une procédure amiable ne doivent appuyer leur position que sur le reste des Principes.

77. Dans ce cas, lorsque l'une des juridictions participant à la procédure amiable est une juridiction qui a choisi de ne pas appliquer l'approche simplifiée et rationalisée, l'approche simplifiée et rationalisée prévue par les présentes orientations ne doit pas être considérée ou mentionnée par les autorités compétentes comme une approche conduisant à un résultat considéré comme acceptable aux fins de la procédure amiable ou de toute procédure d'arbitrage.[54] Cela vaut pour la conduite de la procédure amiable, comme base d'une résolution de la procédure amiable, ou par toute partie (y compris les arbitres) dans la conduite d'une procédure d'arbitrage. Dans de telles situations, l'autorité compétente de l'administration fiscale appliquant initialement ou acceptant l'application de l'approche simplifiée et rationalisée doit justifier sa position dans le cadre de la procédure amiable et de toute procédure d'arbitrage qui en découle, en se fondant sur le reste des Principes.

78. Une autre source potentielle de double imposition pourrait se produire lorsque l'approche simplifiée et rationalisée est appliquée dans le cadre de la deuxième option examinée au paragraphe 7 et qu'un ajustement primaire est effectué par une administration fiscale pour s'assurer que l'imposition est perçue conformément au résultat de l'application de l'approche simplifiée et rationalisée. Dans ce cas, une demande d'exonération de la double imposition peut être adressée à la juridiction partenaire dans le cadre d'une procédure amiable. Les autorités compétentes concernées doivent tenir compte des orientations

---

[50] Il convient de noter que les mêmes principes s'appliquent aux ajustements unilatéraux correspondants décrits au paragraphe 71, qui sont prévus par le droit interne des juridictions où ces procédures sont légalement autorisées, sur la base du droit interne de ces juridictions.

[51] En fonction de la convention fiscale applicable, un contribuable peut être tenu de demander la procédure amiable dans sa juridiction de résidence.

[52] Voir le paragraphe 6 des commentaires sur l'article 9(2) du modèle de convention fiscale.

[53] Considérant également le même commentaire au paragraphe 6 de l'article 9(2) du modèle de convention fiscale.

[54] Toutefois, le résultat de l'application de l'approche simplifiée et rationalisée peut, dans certains cas, être cohérent avec le résultat de l'application du reste des Principes.

données aux paragraphes 4.117 et 4.131 des Principes lorsqu'elles tentent d'atténuer la double imposition. Lorsque la juridiction contrepartie n'a pas accepté d'appliquer l'approche simplifiée et rationalisée dans le cadre d'un accord conclu entre l'autorité compétente et la juridiction effectuant le redressement, ou de l'appliquer spécifiquement pour résoudre la double imposition dans le cas considéré,[55] l'autorité compétente de la juridiction où le redressement a été effectué doit justifier sa position sur la base du reste des Principes dans le cadre de toute procédure amiable ou de l'arbitrage qui en découle, en tenant compte des principes généraux énoncés au paragraphe 72 ci-dessus.

79. Qu'elle applique ou non l'approche simplifiée et rationalisée, une juridiction peut prévoir un ajustement correspondant au résultat de l'approche simplifiée et rationalisée au cas par cas, si elle considère que cette approche produit un résultat acceptable dans un cas spécifique.[56] Les juridictions peuvent également choisir de conclure des accords d'autorité compétente avec d'autres juridictions pour fournir des ajustements correspondants en fonction du résultat déterminé par l'application de l'approche simplifiée et rationalisée. Il est recommandé que, dans le cadre d'un tel accord, la juridiction qui envisage l'ajustement correspondant ait la possibilité de vérifier si la transaction admissible remplit les conditions d'application de l'approche et si l'approche a été appliquée correctement pour déterminer le montant de l'ajustement primaire. [57]

80. Pour éviter toute ambiguïté, pour tout accord conclu en vertu de l'article 25 du modèle de convention fiscale (y compris les cas d'APP bilatéraux ou multilatéraux ainsi que les cas de procédure amiable)[58] obtenu avant la mise en œuvre de l'approche simplifiée et rationalisée, les termes et conditions de ces accords continueraient d'être valables en ce qui concerne les transactions éligibles couvertes. Cette approche respecte les accords juridiquement contraignants et évite toute incertitude quant à la possibilité que des litiges déjà réglés entre autorités compétentes puissent faire l'objet d'un examen et d'une réévaluation, tout en améliorant la prévisibilité pour les contribuables concernés.

---

[55] Voir le paragraphe 79.

[56] Si les juridictions des deux parties qui prennent part à la transaction choisissent d'appliquer l'approche simplifiée et rationalisée, ces juridictions devraient accepter le résultat obtenu en appliquant l'approche simplifiée et rationalisée à la transaction dans le champ d'application et fournir des ajustements correspondants réciproques ou accepter le résultat comme résultat d'une procédure amiable en conséquence.

[57] Voir les indications des paragraphes 5 et 6 des Commentaires sur l'article 9 et la section C.2 du chapitre IV des Principes

[58] Dans le cas des APP unilatéraux conclus avant l'adoption de l'approche rationalisée et simplifiée, cette approche respecte les accords juridiquement contraignants conclus entre une juridiction et un contribuable, mais reconnaît que des modifications peuvent être apportées à un tel APP dans le cadre d'une procédure amiable bilatérale. Voir également le paragraphe 4.140 des Principes et, d'une manière générale, la section F du chapitre IV des Principes

Appendice A - Critères de recherche pertinents aux fins de l'analyse comparative

La présente annexe décrit les critères de recherche pertinents appliqués aux fins de l'identification des sociétés exerçant des activités de commercialisation et de distribution de référence et utilisés pour établir l'ensemble de données global qui constitue en partie la base de l'approximation des résultats de pleine concurrence dans le cadre de l'approche simplifiée et rationalisée.

Filtrage de la base de données

La base de données Moody's BvD Orbis[1] a été utilisée pour la recherche initiale de critères de recherche pertinents et seuls les critères suivants ont été pris en compte au départ.

1. Entreprises en activité.
2. Entreprises relevant des codes NACE 45 — Commerce de gros et de détail, réparation de véhicules automobiles et de motocycles, et 46 — Commerce de gros, à l'exception des véhicules automobiles et des motocycles [2].
3. Entreprises ayant des comptes consolidés, ou non consolidés uniquement lorsqu'il est établi que l'entreprise détient moins de 50 % de ses filiales.
4. Entreprises dont aucun actionnaire ne détient plus de 50 % des parts.
5. Entreprises qui ont des données disponibles sur leurs recettes d'exploitation et leur résultat d'exploitation (EBIT) pour les années 2017, 2018 et 2019.
6. Entreprises dont les recettes d'exploitation moyennes s'élèvent au moins à 2 millions EUR sur cinq ans (2015-2019).
7. Entreprises qui ont une adresse de site web.
8. Entreprises dont la présentation des activités est disponible dans la base de données.
9. En excluant les entreprises dont le ratio R-D sur chiffres d'affaires est supérieur à 3 %. [3]

Examen qualitatif des données des entreprises sélectionnées

Une fois le filtrage décrit ci-dessus effectué, un examen qualitatif des entreprises a été réalisé.

[1] L'utilisation et la diffusion de données détaillées et d'informations sur les entreprises sont soumises à des restrictions de licence de base de données.

[2] En prenant note des améliorations apportées par l'examen qualitatif décrit dans la section suivante.

[3] Il s'agit d'un premier critère de recherche dans la base de données, qui a ensuite été affiné par le rejet manuel des entreprises décrites comme menant des activités de recherche et de développement dans leur description d'entreprise et par un filtrage quantitatif supplémentaire décrit ci-dessous.

Cet examen visait à exclure de l'ensemble final de données toutes les sociétés exerçant plus que des activités de commercialisation et de distribution de gros basées sur les critères de délimitation décrits à la section 2.

Dans un premier temps, des recherches par mots-clés ont été utilisées pour rejeter les entreprises, puis les entreprises de l'ensemble de données ont été examinées manuellement en utilisant uniquement les informations descriptives sur les activités des entreprises fournies dans la base de données.

- Les examens qualitatifs initiaux ont conduit au – Rejet des entreprises dont l'aperçu commercial contient les termes suivants :
    - "conception et fabrication",
    - "financ",
    - "assurance",
    - "fabrication",
    - "recherche", "logiciel" et "intégration de systèmes".
- Rejet de toutes les entreprises qui ne décrivent pas la distribution en gros comme leur activité principale.
- Rejet des entreprises qui décrivent une activité de développement, de recherche ou de fabrication, ou des niveaux plus que minoritaires ou auxiliaires d'activités supplémentaires telles que le commerce de détail, les réparations et l'entretien, et d'autres services.

Examen quantitatif des données de l'entreprise

Les entreprises dont la moyenne pondérée sur cinq ans des immobilisations incorporelles par rapport aux ventes était supérieure à 1 % ont été rejetées.

Parmi les entreprises ayant communiqué un chiffre pour les dépenses de recherche et de développement, celles qui ont déclaré une moyenne pondérée sur cinq ans des dépenses de recherche et de développement par rapport aux ventes supérieure à 0 % ont été rejetées.

Les entreprises ayant déclaré des pertes au cours de 3, 4 ou 5 des 5 années considérées dans cette analyse ont été rejetées en tant que faiseurs de pertes persistantes.

Application de l'exonération des matières premières

Les entreprises encore présentes dans l'ensemble de données ont fait l'objet d'autres contrôles qualitatifs de haut niveau portant sur le site web de l'entreprise et sur les informations disponibles sur Internet, afin d'identifier les produits distribués. Lorsqu'une entreprise distribue des produits qui répondent à la définition des produits de base dans les présentes orientations, elle a été retirée de l'ensemble de données conformément à l'exemption de portée pour les matières premières.

Appendice B - Exemples illustratifs

Les hypothèses retenues dans les exemples numériques suivants ne sont données qu'à titre d'illustration et ne doivent pas être considérées comme prescrivant des ajustements et des accords de pleine concurrence dans des cas réels ou des secteurs d'activité particuliers.

Bien que les exemples visent à illustrer l'interaction des différents éléments de la méthode de tarification décrite à la section 5, l'approche simplifiée et rationalisée doit être appliquée dans chaque cas en fonction des faits et des circonstances spécifiques.

Les exemples illustratifs utilisent le point médian pour l'ajustement prévu à l'article 5.1, mais tout point situé dans une fourchette égale au pourcentage de retour sur ventes dérivé de la matrice de tarification (figure 5.1), plus ou moins 0,5 %, peut être pris en compte pour démontrer la conformité à l'article 5.1.

1. Les 8 exemples suivants montrent comment calculer le rendement des ventes d'une partie testée dans le cadre de l'approche simplifiée et rationalisée. Ils supposent que les juridictions concernées par les exemples ont mis en œuvre l'approche simplifiée et rationalisée et que la partie testée remplit les critères de champ d'application, sans qu'aucune exclusion ne soit applicable. Les postes du bilan figurant dans les exemples sont calculés sur une base moyenne, conformément à la note de bas de page n° 7 des orientations.

Exemple 1 - Schéma de base avec le groupe industriel 1 et la classification de l'intensité des facteurs [C]

2. Supposons que le GROUPE AB est une entreprise multinationale qui fabrique et distribue des produits ménagers consommables. La société A est la société mère du groupe, résidant dans le pays A. La société B est une filiale du GROUPE AB, résidant dans le pays B, qui exerce des activités de distribution en gros dans le pays B.

3. L'entreprise A vend des produits ménagers consommables à l'entreprise B, qui vend ensuite les produits, sans autre modification, à des détaillants tiers dans le pays B. Sauf indication contraire dans les exemples, le pays B n'est pas une juridiction qualifiée au sens des sections 5.2 et 5.3.

4. Supposons que l'entreprise B présente les chiffres suivants (avant le calcul de la déclaration selon l'approche simplifiée et rationalisée) :

a) Bénéfice et perte de l'entreprise B de l'année X-3 à l'année X

		Année X-3	**Année X-2**	**Année X-1**	**Année X**
(a)	Vente	199	195	205	200
(b)	Coût des marchandises vendues (COGS)	(145)	(142)	(154)	(144)
(c)= (a) + (b)	Marge brute	54	53	51	56
(d)	Dépenses de fonctionnement	(50)	(47)	(46)	(49)
(e)= (c) +(d)	Bénéfice avant intérêts et impôts (EBIT)	4	6	5	7
(f) = (e) / (a)	***Rendement des ventes (%)***	***2.01%***	***3.08%***	***2.44%***	***3.50%***

(g) = (e) / (d)	*Rendement des dépenses de fonctionnement*	*8.00%*	*12.77%*	*10.87%*	*14.29%*

b) Postes du bilan de l'entreprise B calculés sur une base moyenne pour les années X-3 à X-1

	Année *X-3*	Année *X-2*	Année *X-1*	Année *X*
Actifs :				
Actifs immobilisés	50	42	40	
Débiteurs	30	22	26	
Stock	25	18	25	
Passif :				
Créanciers	33	34	36	

5. Afin de déterminer la déclaration de l'entreprise B pour l'année X dans le cadre de l'approche simplifiée et rationalisée, il convient de suivre les étapes suivantes :

- **Étape 1** - Déterminer le secteur d'activité de la partie testée.

  L'entreprise B appartient au groupe 1 des regroupements de branches d'activité figurant dans la section des définitions du guide.

- **Étape 2** - Déterminer la classification de l'intensité factorielle pertinente.
  - Comme l'illustrent les tableaux suivants, l'intensité de l'actif net d'exploitation de l'entreprise B, calculée sur la base de la moyenne pondérée des trois années précédentes (de l'année X-3 à l'année X-1), est de 29,22 %, et l'intensité des dépenses d'exploitation pour la même période est de 23,87 %. Par conséquent, selon la matrice de tarification de la section 5.1, la classification de l'intensité des facteurs de l'entreprise B est [C].
  - Le garde-fou de 90 jours prévu par les notes de bas de page 5 et 29 des lignes directrices n'est pas déclenché selon le calcul effectué au point c).

c) Calcul du garde-corps des comptes à payer

		Année *X-3*	Année *X-2*	Année *X-1*	Année *X*
(a)	Créanciers	33	34	36	
(b)	COGS	145	142	154	
(c)= (a) / (b)	Ratio des créanciers par rapport au chiffre d'affaires	0.23	0.24	0.23	
(d)= (c) x 365	***Jours d'ouverture des comptes créditeurs***	***83.07***	***87.39***	***85.32***	
(e)	Atteindre le seuil de 90 jours	***Oui***	***Oui***	***Oui***	

d) Calcul du fonds de roulement de l'année X-3 à l'année X-1

		Année *X-3*	Année *X-2*	Année *X-1*	Année *X*
(a)	Stock	25	18	25	
(b)	Débiteurs	30	22	26	
(c)	Créanciers	33	34	36	
(d)=(a)+(b)-(c)	Fonds de roulement	22	6	15	

e) *Calcul de l'intensité de l'actif net d'exploitation (OAS)*

Actifs nets d'exploitation

		Année *X-3*	**Année *X-2***	**Année *X-1***	**Année *X***
(a)	Actifs immobilisés	50	42	40	
(b)	Fonds de roulement	22	6	15	
(c)=(a)+(b)	Actifs nets d'exploitation	72	48	55	

Intensité de l'actif net d'exploitation (OAS)

		Année *X-3*	**Année *X-2***	**Année *X-1***	**Moyenne pondérée sur 3 ans**
(a)	Vente	199	195	205	***599***
(b)	Actifs nets d'exploitation	72	48	55	***175***
(c)=(b)/(a)	***OAS%***				***29.22%***

f) *Calcul de l'intensité des dépenses d'exploitation (OES)*

		Année *X-3*	**Année *X-2***	**Année *X-1***	**Moyenne pondérée sur 3 ans**
(a)	Vente	199	195	205	***599***
(b)	Dépenses de fonctionnement	50	47	46	***143***
(c)=(b)/(a)	***OES%***				***23.87%***

- **Étape 3** - Identifier et appliquer la fourchette du segment de matrice correspondant.

  Selon la matrice de tarification de la section 5.1, le rendement de l'entreprise B au cours de l'année X devrait être de 2,5 % (+/- 0,5 %).

- **Étape 4** - Appliquer le contrôle croisé des dépenses d'exploitation de la section 5.2.

  Le contrôle croisé des dépenses d'exploitation décrit à la section 5.2 n'est pas déclenché parce que le résultat du rendement équivalent des dépenses d'exploitation (10,20 %) se situe dans la fourchette de plafonnement des dépenses d'exploitation (10 %-60 %).

- **Étape 5** - Appliquer le mécanisme de disponibilité des données de la section 5.3.

  Le mécanisme de disponibilité des données décrit à la section 5.3 n'est pas déclenché car le pays B n'est pas une juridiction qualifiée.

6. Le tableau ci-dessous illustre le calcul de la marge opérationnelle de la partie testée selon l'approche rationalisée et l'approche simplifiée.

Année X			
		P&L *(avant le calcul de la section 5)*	**P&L *(après la section 5 calcul)***
(a)	Vente	200	200
(b)	Coût des marchandises vendues	(144)	(146)
(c)= (a) + (b)	Marge brute	56	54
(d)	Dépenses de fonctionnement	(49)	(49)
(e)= (c) + (d)	Bénéfice avant intérêts et impôts (EBIT)	7	5
(f)= (e) / (a)	***Rendement des ventes (%)***	***3.5%***	
(g)= (e) / (d)	***Rendement des Opex***	***14.29%***	
(h)	***RdS% au titre de la section 5.1***		***2.5%***
(i)= (a) x (h)	***EBIT selon la section 5.1***		***5***
(j)= (i) / (d)	***Rendement équivalent de l'OPEX***		***10.20%***

Exemple 2 - Schéma de base avec le groupe de branches 3 et la classification de l'intensité des facteurs [D]

7. Les faits sont les mêmes que dans l'exemple 1, sauf que les chiffres des postes du compte de résultat et du bilan calculés sur une base moyenne de l'entreprise B de l'année X-3 à l'année X ont été modifiés comme suit, et que le groupe d'entreprises multinationales produit et vend des machines médicales.

a) *Bénéfice et perte de l'entreprise B de l'année X-3 à l'année X*

		Année *X-3*	**Année *X-2***	**Année *X-1***	**Année *X***
(a)	Vente	199	195	205	200
(b)	Coût des marchandises vendues (COGS)	(156)	(163)	(164)	(156)
(c)= (a) + (b)	Marge brute	43	32	41	44
(d)	Dépenses de fonctionnement	(37)	(26)	(33)	(36)
(e)= (c) + (d)	Bénéfice avant intérêts et impôts (EBIT)	6	6	8	8
(f) = (e) / (a)	***Rendement des ventes (%)***	***3.02%***	***3.08%***	***3.90%***	***4.00%***
(g) = (e) / (d)	***Rendement des dépenses de fonctionnement***	***16.22%***	***23.08%***	***24.24%***	***22.22%***

b) *Postes du bilan de l'entreprise B calculés sur une base moyenne pour les années X-3 à X-1*

	Année *X-3*	**Année *X-2***	**Année *X-1***	**Année *X***
Actifs :				
Actifs immobilisés	26	28	22	
Débiteurs	15	18	22	
Stock	20	16	20	
Passif :				
Créanciers	33	36	35	

8. Afin de déterminer la déclaration de l'entreprise B pour l'année X dans le cadre de l'approche simplifiée et rationalisée, il convient de suivre les étapes suivantes :

- **Étape 1 et Étape 2 - La** société B appartient au groupe 3 des groupes industriels et la classification de l'intensité factorielle de la société B est [D] comme illustré dans le tableau c). Le garde-fou des comptes créditeurs de 90 jours prévu par les notes de bas de page 5 et 29 des lignes directrices n'est pas déclenché.

c) ***Fonds de roulement, actifs d'exploitation nets, OAS% et OES%.***

	Année *X-3*	Année *X-2*	Année *X-1*	Moyenne pondérée sur 3 ans
Fonds de roulement	**2**	***(2)***	***7***	-
Actifs nets d'exploitation	***28***	***26***	***29***	-
OAS%	-	-	-	***13.86%***
OES%	-	-	-	***16.03%***

- **Étape 3 - Étape 5 -** Selon la matrice de tarification de la section 5.1, le rendement de l'entreprise B au cours de l'année X devrait être de 3 % (+/- 0,5 %). Le contrôle croisé des frais d'exploitation décrit à la section 5.2 n'est pas déclenché parce que le résultat du rendement équivalent des frais d'exploitation (16,67 %) se situe dans la fourchette de plafonnement des frais d'exploitation (10 %-40 %), et le mécanisme de disponibilité des données décrit à la section 5.3 n'est pas déclenché parce que le pays B n'est pas une juridiction qualifiée.

9. Le tableau ci-dessous illustre le calcul de la marge opérationnelle de la partie testée selon l'approche rationalisée et l'approche simplifiée.

Année X			
		P&L ***(avant le calcul de la section 5)***	**P&L** ***(après la section 5 calcul)***
(a)	Ventes	200	200
(b)	Coût des marchandises vendues	(156)	(158)
(c)= (a) + (b)	Marge brute	44	42.00
(d)	Dépenses de fonctionnement	(36)	(36)
(e)= (c) + (d)	Bénéfice avant intérêts et impôts (EBIT)	8	6
(f)= (e) / (a)	***Rendement des ventes (%)***	***4.00%***	
(g)= (e) / (d)	***Rendement des Opex***	***22.22%***	
(h)	***RdS% au titre de la section 5.1***		***3.00%***
(i)= (a) x (h)	***EBIT selon la section 5.1***		***6.00***
(j)= (i) / (d)	***Rendement équivalent de l'OPEX***		***16.67%***

Exemple 3 - Application du mécanisme de mise à disposition des données pour les juridictions qualifiées

10. Les faits sont les mêmes que dans l'exemple 2, sauf que le pays B est une juridiction qualifiée au sens des sections 5.2 (vérification croisée des frais de fonctionnement) et 5.3 (mécanisme de disponibilité des données) et qu'il a une cote de crédit souveraine de BB- pour l'exercice fiscal concerné.

11. Comme dans l'exemple 2, le contrôle croisé des dépenses d'exploitation décrit à la section 5.2 n'est pas déclenché parce que le résultat du rendement équivalent des dépenses d'exploitation (16,67 %) se situe dans la fourchette de plafonnement des dépenses d'exploitation (10 %-45 %).

12. Conformément au mécanisme de disponibilité des données, l'entreprise B obtiendra un rendement ajusté selon la formule suivante :

$$\text{Rentabilité des ventes ajustée} = ROS^{TP} + (NRA^{J} \times OAS\ )^{TP}$$

13. Le ROS^{TP} est de 3 % (le pourcentage de rentabilité des ventes de la partie testée calculé conformément aux sections 5.1 et 5.2 de , le cas échéant), le NRA^{J} est de 1,8 % (le pourcentage net d'ajustement au risque d'une juridiction dont la note de crédit souveraine est BB-) et le OAS^{TP} est de 13,86 %[4] (le pourcentage d'intensité de l'actif d'exploitation net de la société B basé sur la moyenne pondérée de l'année X-3 à X-1). Le tableau ci-dessous illustre le rendement ajusté des ventes de l'entreprise B après application du mécanisme de disponibilité des données.

	Année X	
(a)	RdS% au titre de la section 5.1	3%
(b)	Ajustement net du risque%.	1.80%
(c)	OAS%	13.86%
(d)= (a) + ((b) x (c))	**RoS% ajusté selon la section 5.3**	**3.25%**

Exemple 4 - Le plafond de recoupement des Opex est déclenché

14. Les faits sont les mêmes que dans l'exemple 2, à l'exception des chiffres du compte de résultat de l'année X-3 à l'année X et des postes du bilan calculés sur une base moyenne de l'entreprise B de l'année X-3 à l'année X-1, qui ont été modifiés comme suit : le groupe d'entreprises multinationales produit et vend de l'électronique grand public :

a) Bénéfice et perte de l'entreprise B de l'année X-3 à l'année X

		Année *X-3*	**Année *X-2***	**Année *X-1***	**Année *X***
(a)	Vente	199	195	205	200
(b)	Coût des marchandises vendues (COGS)	(181)	(178)	(187)	(182)
(c)= (a) + (b)	Marge brute	18	17	18	18
(d)	Dépenses de fonctionnement	(11)	(11)	(11)	(10)
(e)= (c) +(d)	Bénéfice avant intérêts et impôts (EBIT)	7	6	7	8
(f) = (e) / (a)	***Rendement des ventes (%)***	***3.52%***	***3.08%***	***3.41%***	***4.00%***
(g) = (e) / (d)	***Rendement des dépenses de fonctionnement***	***63.64%***	***54.55%***	***63.64%***	***80.00%***

b) Postes du bilan de l'entreprise B calculés sur une base moyenne pour les années X-3 à X-1

	Année *X-3*	**Année *X-2***	**Année *X-1***	**Année *X***
Actifs :				
Actifs immobilisés	48	42	45	
Débiteurs	31	37	33	
Stock	20	16	20	
Passif :				
Créanciers	33	36	35	

15. Afin de déterminer la déclaration de l'entreprise B pour l'année X dans le cadre de l'approche simplifiée et rationalisée, il convient de suivre les étapes suivantes :

- **Étape 1 et Étape 2 -** La société B appartient au groupe 2 des groupes industriels et la classification de l'intensité factorielle de la société B est [B], comme illustré dans le tableau

[4] Le garde-fou de l'actif net d'exploitation de 85 % prévu à la section 5.3 n'est pas dépassé.

c). Le garde-fou des comptes créditeurs de 90 jours prévu par les notes de bas de page 5 et 29 des lignes directrices n'est pas déclenché.

c) Fonds de roulement, actifs d'exploitation nets, OAS% et OES%.

	Année *X-3*	**Année *X-2***	**Année *X-1***	**Moyenne pondérée sur 3 ans**
Fonds de roulement	**18**	**17**	**18**	**-**
Actifs nets d'exploitation	**66**	**59**	**63**	**-**
OAS%	**-**	**-**	**-**	**31.39%**
OES%	**-**	**-**	**-**	**5.51%**

- **Étape 3 -** Selon la matrice de prix de la section 5.1, le rendement de l'entreprise B au cours de l'année X devrait être de 3,75 % (+/- 0,5 %).
- **Étape 4** - La contre-vérification des frais d'exploitation décrite à la section 5.2 est déclenchée parce que le résultat du rendement équivalent des frais d'exploitation (75,00 %) dépasse la fourchette de plafonnement des frais d'exploitation (10 %-60 %). Puisque le rendement équivalent des dépenses d'exploitation dépasse la fourchette, le rendement des ventes de l'entreprise B sera ajusté à la baisse jusqu'à ce que le rendement équivalent des dépenses d'exploitation soit égal au plafond des dépenses d'exploitation. Le rendement des ventes après l'ajustement est de 3,00 %.
- **Étape 5** - Le mécanisme de disponibilité des données décrit à la section 5.3 n'est pas déclenché parce que le pays B n'est pas une juridiction qualifiée.

16. Le tableau ci-dessous illustre le calcul de la marge opérationnelle de la partie testée selon l'approche rationalisée et l'approche simplifiée.

		Année X		
		P&L *(avant le calcul de la section 5)*	**P&L** *(après le calcul de la section 5.1)*	**P&L** *(après le calcul de la section 5.2)*
(a)	Vente	200	200	200
(a)	Coût des marchandises vendues	(182)	(182.5)	(184)
(a)= (a) + (b)	Marge brute	18	17.5	16
(a)	Dépenses de fonctionnement	(10)	(10)	(10)
(a) = (c) + (d)	Bénéfice avant intérêts et impôts (EBIT)	8	7.5	6
(b) = (e) / (a)	**Rendement des ventes (%)**	**4.00%**		
(c) = (e) / (d)	**Rendement des OPEX**	**80.00%**		
(d)	**RdS% au titre de la section 5.1**		**3.75%**	
(e) = (a) x (h)	**EBIT selon la section 5.1**		**7.5**	
(f) = (i) / (d)	**Rendement équivalent de l'OPEX**		**75.00%**	
(g) = (d) x 60%	**EBIT ajusté selon la section 5.2**			**6**

(h) = (k) / (a)	**Rentabilité ajustée des ventes (%) selon la section 5.2**			**3.00%**

Exemple 5 - Application du mécanisme de vérification croisée des Opex et de la disponibilité des données

17. Les faits sont les mêmes que dans l'exemple 4, sauf que le pays B est une juridiction qualifiée au sens des sections 5.2 (vérification croisée des frais de fonctionnement) et 5.3 (mécanisme de disponibilité des données) et que sa cote de crédit souveraine pour l'exercice fiscal concerné est de B-.

18. Comme dans l'exemple 4, la contre-vérification des frais d'exploitation décrite à la section 5.2 est déclenchée parce que le résultat du rendement équivalent des frais d'exploitation (75,00 %) dépasse la fourchette de plafonnement des frais d'exploitation (10 %-70 %). Puisque le rendement équivalent des dépenses d'exploitation dépasse la fourchette, le rendement des ventes de l'entreprise B sera ajusté à la baisse jusqu'à ce que le rendement équivalent des dépenses d'exploitation soit égal au plafond des dépenses d'exploitation. Le rendement des ventes après l'ajustement est de 3,50 %.

19. Conformément au mécanisme de disponibilité des données, l'entreprise B obtiendra un rendement ajusté selon la formule suivante :

$$\text{Rentabilité des ventes ajustée} = ROS^{TP} + (NRA^{J} \times OAS\ )^{TP}$$

20. Le ROS^{TP} est de 3,50 % (le rendement des ventes après un ajustement basé sur la section 5.2), le NRA^{J} est de 4,9 % (le pourcentage d'ajustement du risque net d'une juridiction dont la cote de crédit souveraine est B-) et l'OAS^{TP} est de 31,39 %[5] (le pourcentage d'intensité de l'actif d'exploitation net de la société B basé sur la moyenne pondérée de l'année X-3 à l'année X-1). Le tableau ci-dessous illustre la rentabilité ajustée des ventes de l'entreprise B après application du mécanisme de disponibilité des données.

	Année X	
(a)	RdS% au titre des sections 5.1 et 5.2	3.50%
(b)	Ajustement net du risque%.	4.90%
(c)	OAS%	31.39%
(d)= (a) + ((b) x (c))	**RoS% ajusté selon la section 5.3**	**5.04%**

Exemple 6 - Dépassement du délai de garde des comptes créditeurs de NDA

21. Les faits sont les mêmes que dans l'exemple 4, sauf que les chiffres des postes du compte de résultat et du bilan calculés sur une base moyenne de l'entreprise B pour les années X-3 à X-1 ont été modifiés comme suit et que le délai de 90 jours prévu dans les notes de bas de page 5 et 29 des lignes directrices pour les comptes créditeurs est dépassé.

a) Bénéfice et perte de l'entreprise B de l'année X-3 à l'année X

		Année *X-3*	**Année *X-2***	**Année *X-1***	**Année *X***
(a)	Vente	199	185	195	200
(b)	Coût des marchandises vendues (COGS)	(181)	(168)	(177)	(182)
(c)= (a) + (b)	Marge brute	18	17	18	18
(d)	Dépenses de fonctionnement	(11)	(11)	(11)	(10)

[5] Le garde-fou de l'actif net d'exploitation de 85 % prévu à la section 5.3 n'est pas dépassé.

(e)= (c) +(d)	Bénéfice avant intérêts et impôts (EBIT)	7	6	7	8
(f) = (e) / (a)	***Rendement des ventes (%)***	***3.52%***	***3.24%***	***3.59%***	***4.00%***

b) Postes du bilan de l'entreprise B calculés sur une base moyenne pour les années X-3 à X-1

	Année *X-3*	**Année** *X-2*	**Année** *X-1*	**Année** *X*
Actifs :				
Actifs immobilisés	48	42	45	
Débiteurs	31	39	39	
Stock	36	28	20	
Passif :				
Créanciers	65	65	55	

22. Afin de déterminer la déclaration de l'entreprise B pour l'année X dans le cadre de l'approche simplifiée et rationalisée, il convient de suivre les étapes suivantes :

- **Étape 1** - L'entreprise B appartient au groupe 2 des regroupements de branches d'activité figurant dans la section "Définitions" du guide.
- **Étape 2** - La classification de l'intensité factorielle de l'entreprise B est [B], comme l'illustre le tableau e). Étant donné que le garde-fou de 90 jours prévu par les notes de bas de page 5 et 29 des lignes directrices s'applique et que les créanciers sont ajustés, l'intensité du fonds de roulement et de l'actif d'exploitation net doit être calculée en tenant compte des créanciers ajustés.

c) Calcul du garde-corps des comptes à payer

		Année *X-3*	**Année** *X-2*	**Année** *X-1*	**Année** *X*
(a)	Créanciers	65	65	55	
(b)	Coût des marchandises vendues	181	168	177	
(c)= (a) / (b)	**Ratio des créanciers par rapport au chiffre d'affaires**	**0.36**	**0.39**	**0.31**	
(d)= (c) x 365	**Jours d'ouverture des comptes créditeurs**	**131.08**	**141.22**	**113.42**	
(e)	**Atteindre le seuil de 90 jours**	**Non**	**Non**	**Non**	
(f)= [(b) / 365] x 90	**Créanciers adjoints**	**44.63**	**41.42**	**43.64**	
(g)= (f) / (b)	**Ratio ajusté des créanciers sur le chiffre d'affaires**	**0.25**	**0.25**	**0.25**	
(h)= (g) x 365	**Jours d'ouverture des comptes créditeurs ajustés**	**90 jours**	**90 jours**	**90 jours**	

d) Postes ajustés du bilan de l'entreprise B calculés sur une base moyenne à la suite de la mise en place d'un garde-corps pour les comptes créditeurs.

	Année *X-3*	**Année** *X-2*	**Année** *X-1*	**Année** *X*
Actifs :				
Actifs immobilisés	48	42	45	
Débiteurs	31	39	39	
Stock	36	28	20	
Passif :				
Créanciers	44.63	41.42	43.64	

e) Fonds de roulement et actif net d'exploitation, OAS% et OES%.

	Année *X-3*	**Année** *X-2*	**Année** *X-1*	**Moyenne pondérée sur 3 ans**
Fonds de roulement avec créanciers ajustés	**22.37**	**25.58**	**15.36**	**-**

Actifs d'exploitation nets avec créanciers ajustés	**70.37**	**67.58**	**60.36**	**-**
OAS% non ajusté	**-**	**-**	**-**	**24.70%**
OAS% ajusté	**-**	**-**	**-**	**34.25%**
OES%	**-**	**-**	**-**	**5.70%**

- **Étape 3** - Selon la matrice de prix de la section 5.1, le rendement de l'entreprise B au cours de l'année X devrait être de 3,75 % (+/- 0,5 %).
- **Étape 4** - La contre-vérification des frais d'exploitation décrite à la section 5.2 est déclenchée parce que le résultat du rendement équivalent des frais d'exploitation (75,00 %) dépasse la fourchette de plafonnement des frais d'exploitation (10 %-60 %). Puisque le rendement équivalent des dépenses d'exploitation dépasse la fourchette, le rendement des ventes de l'entreprise B sera ajusté à la baisse jusqu'à ce que le rendement équivalent des dépenses d'exploitation soit égal au plafond des dépenses d'exploitation. Le rendement des ventes après l'ajustement est de 3,0 %.
- **Étape 5** - Le mécanisme de disponibilité des données décrit à la section 5.3 n'est pas déclenché parce que le pays B n'est pas une juridiction qualifiée.

Le tableau ci-dessous illustre le calcul de la marge opérationnelle de la partie testée selon l'approche rationalisée et l'approche simplifiée.

		Année X		
		P&L *(avant le calcul de la section 5)*	**P&L *(après le calcul de la section 5.1)***	**P&L *(après le calcul de la section 5.2)***
(a)	Vente	200	200	200
(b)	Coût des marchandises vendues	(182)	(182.5)	(184)
(c)= (a) + (b)	Marge brute	18	17.5	16
(d)	Dépenses de fonctionnement	(10)	(10)	(10)
(e)= (c) + (d)	Bénéfice avant intérêts et impôts (EBIT)	8	7.5	6
(f)= (e) / (a)	**Rendement des ventes (%)**	4.0%		
(g)= (e) / (d)	**Rendement des OPEX**	80.00%		
(h)	**RdS% au titre de la section 5.1**		3.75%	
(i)= (a) x (h)	**EBIT selon la section 5.1**		7.5	
(j)= (i) / (d)	**Rendement équivalent de l'OPEX**		75.00%	
(k)= (d) x 60%	**EBIT ajusté selon la section 5.2**			6
(l)= (k) / (a)	**Rendement des ventes ajusté (%) selon la section 5.2**			3.00%

Exemple 7 - Groupement d'industries multiples où le seuil de minimis de 20 % des ventes est dépassé

23. Les faits sont les mêmes que dans l'exemple 1, sauf que le groupe d'entreprises multinationales produit et vend à la fois des biens d'équipement ménager et des composants et consommables électriques. Au cours de l'année X, l'entreprise B réalise 60 % de son chiffre d'affaires dans la vente de biens d'équipement ménager et 40 % dans la vente de composants et consommables électriques.

24. Étant donné que l'entreprise B vend des produits relevant de plusieurs groupes industriels (produits ménagers consommables dans le groupe industriel 1 et composants électriques et consommables dans le groupe industriel 2) et que le seuil de minimis de 20 % des ventes est dépassé pour les deux groupes industriels, le calcul d'un rendement moyen pondéré est nécessaire, comme l'illustre le tableau ci-dessous.

Extrait du compte de résultat de l'entreprise B pour l'année X

P&L segmenté de l'année X			
	Total	***groupe d'industries 1 Catégorie [C]***	***groupe d'industries 2 catégorie [C]***
Vente	200	120	80
Parts dans les ventes totales		***60%***	***40%***
RdS% au titre de la section 5.1	*(60% x 2,50%) + (40% x 3,00%)* **= 2,70% (+/- 0,5%)**		

Exemple 8 - Groupement d'industries multiples où le seuil de minimis de 20 % des ventes n'est pas atteint.

25. Les faits sont les mêmes que dans l'exemple 7, sauf qu'au cours de l'année X, l'entreprise B réalise 93 % de son chiffre d'affaires dans la vente d'articles ménagers consommables et 7 % dans la vente de composants et d'articles électriques consommables.

26. Bien que l'entreprise B vende des biens appartenant à plus d'un groupe industriel (articles ménagers consommables dans le groupe industriel 1 et composants électriques et consommables dans le groupe industriel 2), le calcul d'un rendement moyen pondéré n'est pas requis car le seuil de minimis de 20 % des ventes n'est pas atteint pour le groupe industriel 2.

Extrait du compte de résultat de l'entreprise B pour l'année X

P&L segmenté de l'année X			
	Total	***groupe d'industries 1 Catégorie [C]***	***Groupe d'industries 2 catégorie [C]***
Vente	200	186	14
Part des ventes totales		***93%***	***7%***
RdS% au titre de la section 5.1	100% x 2.50% = 2.50% (+/- 0.5%)		

www.ingramcontent.com/pod-product-compliance
Lightning Source LLC
LaVergne TN
LVHW082052051026
849532LV00011B/3569